larousse.explore

Les Dinosaures

Conçu et produit par Weldon Owen Pty, Ltd, Australie
© 1999 Weldon Owen Inc.

Auteur : Paul Willis
Conseiller : Michael K. Brett-Surman, Ph. D.
Illustrateurs : Jimmy Chan, Lee Gibbons/Wildlife Art Ltd, Ray Grinaway, Gino Hasler,
David Kirshner, Murray Frederick, David McAlister, James McKinnon, Luis Rey/Wildlife Art Ltd,
Peter Schouten, Peter Scott/Wildlife Art Ltd, Marco Sparaciari, Kevin Stead

ÉDITION FRANÇAISE :
© 2000 Larousse/HER pour l'édition en langue française

Responsable éditoriale : Véronique Herbold
Traduction et réalisation : Agence Media,
avec la collaboration de Liliane Charrier
Conseiller : Ronan Allain,
docteur en paléontologie au Muséum national d'histoire naturelle, Paris
Lecture-correction : Annick Valade,
assistée de Henri Goldszal

ISBN : 2-03-565035-6
Dépôt légal : septembre 2000

Imprimé à Singapour

larousse.explore

Les Dinosaures

LAROUSSE

Sommaire

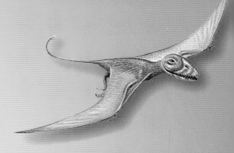

Qu'est-ce qu'un dinosaure ? 6

Une grande famille 26

L'énigme des dinosaures 44

SUR LA PISTE DES DINOSAURES

Remonte le temps pour découvrir l'univers fascinant des créatures du Secondaire, il y a 228 millions d'années. Tu peux commencer par le début, apprendre ce qu'est un dinosaure, puis continuer ton exploration jusqu'à la fin, avec l'énigme que pose la disparition des dinosaures. Mais tu peux aussi parcourir librement ce livre au gré de ta curiosité et de tes centres d'intérêt. Par exemple, si tu veux savoir à quoi ressemblait le plus effrayant des dinosaures, passe directement à la partie « Les grands prédateurs ». Si un sujet te passionne, lis les encadrés « Zapping » pour sauter d'un chapitre à l'autre et en savoir plus sur une question particulière. Sur chaque double page, des encadrés donnent un éclairage original et amusant sur le sujet : records et chiffres impressionnants dans « Incroyable ! », origine des mots dans « Histoire de mots », expériences amusantes dans « À toi de jouer » et détails passionnants sur les grands moments de la paléontologie dans « Gros plan ». Alors... prêt à remonter le temps à la découverte des dinosaures ?

GROS PLAN
DES GRANDS ÉVÉNEMENTS

Avec David Gillette, un paléontologue, découvre les restes du plus grand animal qui ait jamais existé sur terre. Imagine que tu étais là lorsque John Horner a exhumé 15 nids remplis d'œufs et de bébés dinosaures fossilisés – prouvant à la communauté scientifique que ces animaux, eux aussi, s'occupaient de leurs petits. GROS PLAN te fera revivre les grandes découvertes comme si tu y étais et te donnera une foule d'informations sur la vie des dinosaures.

À TOI DE JOUER
EXPÉRIENCES ET ACTIVITÉS

Reconstitue un squelette de poulet pour savoir comment les paléontologues assemblent les os de dinosaures. Pars à la recherche de fossiles dans la nature. Fais un test pour mieux comprendre pourquoi les dinosaures au long cou avaient de si petites têtes. À TOI DE JOUER te propose des expériences et des activités pour recréer le monde des dinosaures.

HISTOIRE DE MOTS

Quel drôle de mot ! Que signifie-t-il ? D'où vient-il ? Tu l'apprendras dans ces encadrés.

INCROYABLE !

Des encadrés pleins d'informations et de chiffres. Des records impressionnants et des comparaisons époustouflantes pour te faire une idée du monde des dinosaures.

ZAPPING

Consulte ces encadrés pour te promener dans ton livre en sautant de page en page selon ce qui t'intéresse.

À vos marques, prêts, partez !

QU'EST-CE QU'UN DINOSAURE ?

Remontons le temps pour voir naître les dinosaures, qui restèrent sur Terre plus de 160 millions d'années.

Tu apprendras à distinguer les dinosaures des autres animaux, puis tu partiras à la découverte de l'univers dans lequel ils vivaient à travers trois périodes : le Trias, le Jurassique et le Crétacé. Ensuite, tu t'approcheras d'un peu plus près pour les observer : tu découvriras leurs particularités, leurs stratégies de survie, la façon dont ils élevaient leurs petits. Enfin, tu rencontreras les autres animaux (reptiles, poissons, mammifères, etc.) qui vivaient à la même époque.

CARTE D'IDENTITÉ

Les dinosaures étaient très différents les uns des autres. Certains étaient plus gros qu'un autobus et se déplaçaient sur quatre pattes, tandis que d'autres avaient la taille d'une poule et gambadaient sur deux pattes. Ils vivaient solitaires, en couple ou au sein de vastes hordes. En dépit de ces différences, ils présentaient des points communs : ils marchaient avec les pattes dressées sous le corps, pondaient des œufs et étaient pour la plupart recouverts d'écailles, comme les crocodiles.

On distingue deux groupes de dinosaures : les ornithischiens, dont l'os du bassin ressemble à celui d'un oiseau, et les saurischiens, dont l'os du bassin ressemble à celui d'un lézard. Les dinosaures ont régné pendant l'ère secondaire, qui se divise en trois périodes : le Trias, le Jurassique et le Crétacé.

OÙ TROUVER DES FOSSILES ?
Ces reliefs arides, appelés *badlands*, offrent un terrain de chasse idéal, car, en raison de l'absence de végétation, l'érosion y a mis au jour de nombreux fossiles. On trouve ce type d'étendues désertiques notamment dans les montagnes Rocheuses (au Canada et aux États-Unis) ainsi qu'en Mongolie.

CECI N'EST PAS UN DINOSAURE
Les dinosaures ont tous disparu. Même s'il est le plus grand lézard actuel, le dragon (ou varan) de Komodo n'est pas un dinosaure. En témoigne le fait qu'il marche avec les pattes écartées du corps et non dressées dessous.

CHRONOLOGIE
L'histoire de la Terre se divise en ères et en périodes ayant une faune et une flore spécifiques. Les dinosaures ont vécu durant l'ère secondaire (Mésozoïque).

Précambrien	Cambrien	Ordovicien	Silurien	Dévoni
			Paléozoïque (ère pri	
4 600 millions d'années	550	505	435	408

HISTOIRE DE MOTS

Dinosaure signifie « lézard terriblement grand ». C'est en 1842 que l'anatomiste sir Richard Owen forgea ce terme à partir de deux mots grecs anciens : *deinos*, « terrible », et *saura*, qui veut dire « lézard ».

INCROYABLE !

Plus de 800 dinosaures sont aujourd'hui répertoriés, et une nouvelle espèce est identifiée toutes les sept semaines environ par les paléontologues. Cela dit, beaucoup de dinosaures n'ont laissé aucun fossile : de ceux-là, nous ne saurons jamais rien.

ZAPPING

• Quelle est la différence entre les saurischiens et les ornithischiens ? Réponse pages 16-17.
• Existe-t-il des œufs plus gros que ceux des dinosaures ? → page 23.
• Comment commencer une collection de fossiles ? → page 53.

UN FAUX AIR DE FAMILLE

Ces reptiles ne sont pas des dinosaures. Le Péloneustes vivait dans la mer. Les synapsides sont des reptiles terrestres ancêtres des mammifères. Le ptérosaure est un reptile volant.

Péloneustes (reptile marin)

Dimétrodon (synapside)

Ptéranodon (ptérosaure)

GROS PLAN

EXPERTS EN DINOSAURES

Si tu aimes la géologie et les dinosaures, si tu t'intéresses aux fossiles et si tu as envie de savoir à quoi ces animaux ressemblaient avant d'être fossilisés, tu ferais sans doute un bon spécialiste en dinosaures !

Les scientifiques qui étudient les êtres vivants ayant jadis peuplé la Terre sont appelés paléontologues. Leur travail consiste d'abord à déterrer des fossiles, des restes de plantes ou d'animaux anciens conservés dans les roches sédimentaires. Ils les emportent ensuite dans un laboratoire où ils les nettoient pour pouvoir les étudier. Si tu es passionné par les dinosaures, commence par lire des livres sur le sujet et entame une collection de fossiles.

UN DINOSAURE PARMI TANT D'AUTRES

Un Dilophosaure dévore un lézard. Ce carnivore du Jurassique mesurait 6 m de long. Léger et doté de pattes vigoureuses, il était bon chasseur. Son élégante crête devait lui servir à attirer des partenaires au moment de la reproduction ou à effrayer ses rivaux.

Carbonifère	Permien	Trias	Jurassique	Crétacé	Tertiaire	Quaternaire
			Mésozoïque (ère secondaire)		Cénozoïque	
286	248	208	144	65	2	0

Mélanorosaure

Sellosaure

Au Trias...

Le Trias a commencé il y a 248 millions d'années. Le monde se réduisait alors à un unique continent géant, la Pangée. L'intérieur des terres était sec et désertique, et la plupart des animaux vivaient près des côtes au climat humide, où ils trouvaient de la nourriture.

Les premiers dinosaures, qui étaient carnivores, sont apparus il y a 228 millions d'années. Ils étaient petits, mais possédaient un atout : deux pattes postérieures dressées sous le corps, grâce auxquelles ils pouvaient courir plus vite que leurs proies. Ils ne tardèrent à évincer les espèces de reptiles qui dominaient la Pangée avant eux. À la fin du Trias, les dinosaures avaient investi la planète. Plus rapides que tout autre animal terrestre, ils connurent alors un développement géographique considérable.

Pangée

• Habitat des dinosaures au Trias

VUE DE LA TERRE AU TRIAS
La Pangée (ci-contre) s'étire du pôle Nord au pôle Sud. Les dinosaures du Trias peuvent parcourir le continent de long en large sans traverser d'océan. Aujourd'hui (ci-dessus), leurs fossiles sont présents sur tous les continents, sauf l'Antarctique. Ainsi, on retrouve des fragments de Massospondylus en Afrique australe aussi bien qu'aux États-Unis, en Arizona.

UN TAS DE VIEUX OS
Comment les scientifiques font-ils pour déterminer l'âge d'un fossile ? Ils identifient le type de roche dans lequel le fossile a été retrouvé. Puis ils comparent ce dernier avec d'autres ossements dont ils connaissent l'âge. Enfin, ils mesurent la dégradation de la radioactivité dans les roches environnantes.
Grâce à un matériel de pointe, les scientifiques ont pu déterminer l'âge de ces restes de Coelophysis (ci-dessus) : 225 millions d'années.

Saltopus

Procompsognathu

HISTOIRE DE MOTS

Pangée vient d'un mot grec ancien signifiant « toute la terre ». Seul continent du globe au Trias, ce supercontinent rassemblait toutes les terres de la planète. Les continents d'aujourd'hui ne formaient alors qu'un seul bloc immense.

INCROYABLE !

Le Coelophysis était cannibale. Au Nouveau-Mexique et aux États-Unis, des paléontologues ont découvert des bébés Coelophysis à l'emplacement de l'estomac dans des squelettes d'adulte. Les dinosaures ne sont pas les seuls animaux à manger leurs petits dans certaines circonstances.

ZAPPING

• Quels animaux peuplaient les airs et les mers au Trias ? Réponse pages 24-25.
• Que mangeaient les dinosaures herbivores ? Que mangeaient les dinosaures carnivores ? → pages 28-31.

AUTRES ANIMAUX...

SUR TERRE

Le Kannemeyeria appartient à un groupe de reptiles, les synapsides, qui a dominé la première moitié du Trias. Ce sont les ancêtres des mammifères.

GROS PLAN

LE PREMIER DINOSAURE

En 1993, une équipe de scientifiques américains et argentins partit dans les *badlands* du nord-ouest de l'Argentine à la recherche du plus vieux des dinosaures. Un jour, alors qu'il passait à côté d'une roche a priori sans intérêt, l'un d'eux aperçut une dent. En regardant de plus près, il vit que la roche renfermait un crâne fossilisé. Tous se mirent alors au travail, et finirent par dégager le squelette entier d'un animal inconnu. Ils savaient qu'il s'agissait d'un dinosaure, mais à quelle époque remontait-il ? Après plusieurs mois de recherches, ils acquirent la certitude qu'il s'agissait du plus vieux des dinosaures. Ils le baptisèrent Éoraptor, c'est-à-dire « voleur de l'aube ». De la taille d'un gros chien, il vivait voici 228 millions d'années.

DANS LES AIRS

Apparus peu après les premiers dinosaures, les ptérosaures sont les premiers animaux volants. Celui-ci, appelé Eudimorphodon, avait la taille d'une grande mouette. Ses ailes étaient tendues de peau, comme celles des chauves-souris. Ce reptile volant peuplait ce qui est aujourd'hui le nord de l'Italie.

COHABITATION

Cette scène de la fin du Trias montre un Platéosaure, dinosaure herbivore, grignotant des fougères. L'animal, qui mesure environ 9 m, ne craint pas les deux dinosaures carnivores, des Coelophysis, qui s'approchent. Nettement plus petits, ces derniers se nourrissent plutôt de lézards.

DANS LES MERS

Les océans fourmillaient de reptiles marins, tel le Nothosaure. Des fossiles de mères avec leurs petits ont été retrouvés. Il est probable que les femelles ne pondaient pas d'œufs, mais qu'elles mettaient au monde des petits déjà formés.

Éoraptor   Herrerasaure

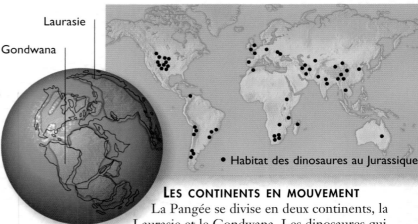

AU JURASSIQUE...

Le Jurassique a commencé voici 208 millions d'années, lorsque la Pangée s'est divisée en deux pour donner naissance à la Laurasie et au Gondwana. Le climat est devenu plus frais et plus humide, la végétation s'est étendue, offrant de la nourriture aux herbivores. Ces conditions ont favorisé le développement de nombreuses espèces : sauropodes au long cou, stégosauridés cuirassés, petits ornithopodes, etc.

À la fin du Jurassique, les dinosaures peuplaient les deux continents. Les animaux de la Laurasie commençaient à se différencier de ceux du Gondwana. La plupart des groupes étaient représentés sur les deux continents, mais par des espèces différentes. Le Stégosaure, par exemple, habitait l'Amérique du Nord, tandis que son proche parent le Kentrosaure vivait en Afrique.

Laurasie

Gondwana

• Habitat des dinosaures au Jurassique

LES CONTINENTS EN MOUVEMENT

La Pangée se divise en deux continents, la Laurasie et le Gondwana. Les dinosaures qui peuplent ces deux continents se ressemblent, sans pourtant être identiques. Les Brachiosaures retrouvés au Colorado (États-Unis) et en Tanzanie (Afrique) sont ainsi légèrement différents.

POURRAIENT-ILS REVENIR ?

Il y a de nouveau des dinosaures sur Terre ! Le scénario de *Jurassic Park* pourrait-il devenir réalité ? Eh bien non ! Dans le film, les scientifiques ressuscitent les monstres préhistoriques en recourant à une technique appelée génie génétique. Or, celle-ci ne peut être mise en œuvre sans ADN, et nous ne trouverons sans doute jamais d'ADN de dinosaures. Autant dire qu'il n'existe aucun risque de finir dans l'estomac d'un Vélociraptor affamé.

Diplodocus   Camptosaure

📖 HISTOIRE DE MOTS

• **Gondwana** signifie « pays des Gonds ». Les Gonds étaient une tribu vivant en Inde, très longtemps après le Jurassique, bien sûr.
• **Laurasie** est formé à partir des mots Laurentie (région du Canada proche du Saint-Laurent) et Asie.

✸ INCROYABLE !

Dans certaines régions des États-Unis, on peut détecter les os de dinosaures du Jurassique à l'aide d'un compteur Geiger – instrument qui mesure la radioactivité – car ces fossiles renferment de l'uranium.

📚 ZAPPING

• Comment les carnivores faisaient-ils pour tuer des proies beaucoup plus grandes qu'eux ? Réponse pages 28-29.
• Quelle taille atteignaient les géants du Jurassique ? → pages 32-33.
• Comment se forme un fossile ? → pages 46-47.

🔍 GROS PLAN

LES PLANTES PRÉHISTORIQUES

C'est aux végétaux que les dinosaures doivent leur existence. En effet, sans plantes, pas d'herbivores, et sans herbivores, pas de carnivores. Le règne végétal déterminait même la répartition géographique des animaux – un dinosaure géant, par exemple, n'aurait jamais pu pénétrer une forêt touffue.
Si la plupart des plantes de l'ère secondaire ont disparu voici des millions d'années, quelques-unes existent encore aujourd'hui. Certains paléobotanistes (experts en végétaux disparus) se sont spécialisés dans les plantes de l'époque des dinosaures. Ils étudient des fossiles comme celui-ci, une feuille de noisetier.

ATTAQUE GROUPÉE

Une mère Barosaure se cabre pour protéger sa progéniture contre trois Allosaures. Le Barosaure se dressait de toute sa hauteur (15 m) puis se laissait retomber sur le sol, réduisant en bouillie tout ce qui se trouvait sous ses énormes pattes antérieures. La scène se déroule dans une forêt de conifères du Jurassique.

RÉGIME ALIMENTAIRE

Lorsqu'ils ne dévoraient pas leurs cousins herbivores, les carnivores se régalaient de tortues, de crocodiles, de lézards ou d'insectes. Quant aux herbivores, ils n'avaient que l'embarras du choix entre les plantes basses et le feuillage des arbres.

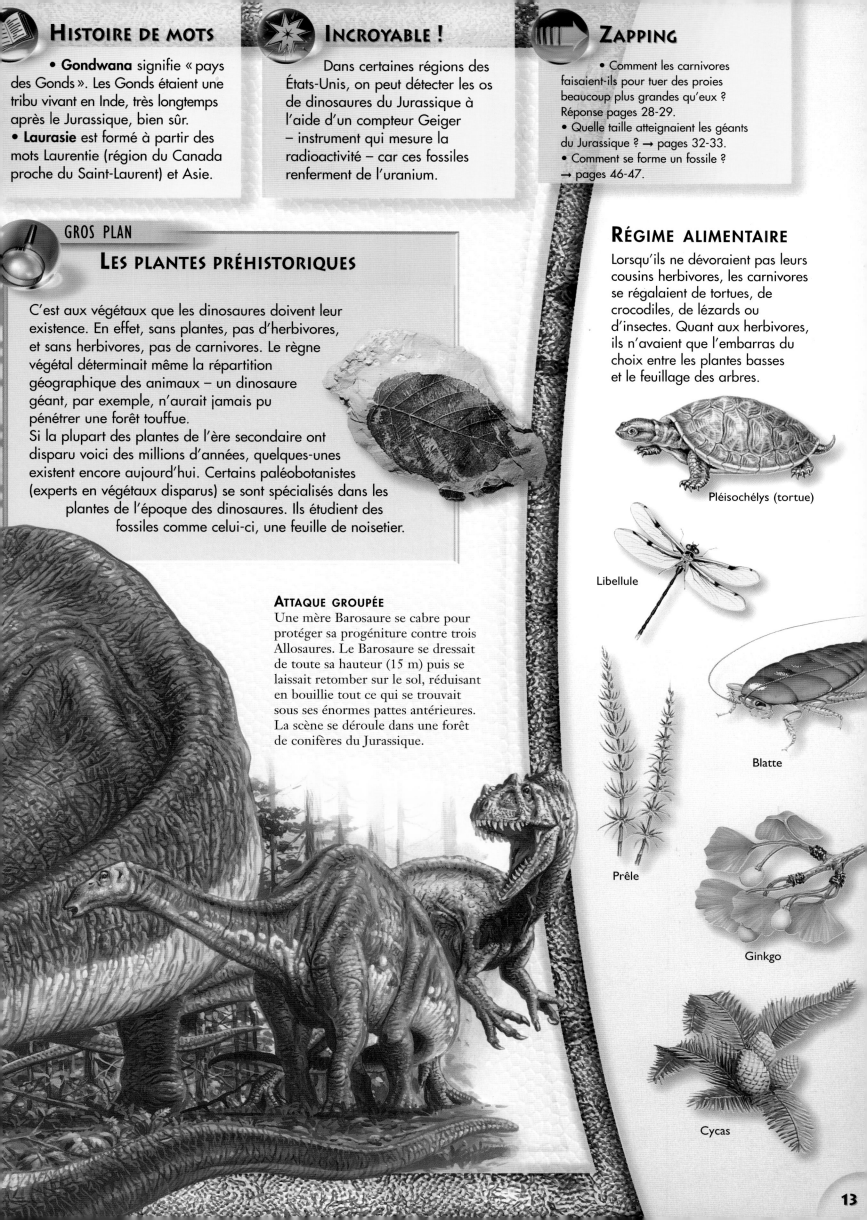

Pléisochélys (tortue)

Libellule

Blatte

Prêle

Ginkgo

Cycas

Ornithomimus

Euoplocéphale

Au Crétacé...

Voici 144 millions d'années, la Terre est entrée dans la période du Crétacé. La Laurasie et le Gondwana ont commencé à se subdiviser. Le climat est devenu saisonnier, avec des étés humides et chauds et des hivers frais. Les plantes à fleurs ont fait leur apparition. Avec l'isolement des continents et la diversification des végétaux, les espèces de dinosaures se sont multipliées et ont évolué.

Certains herbivores se sont raréfiés, comme les immenses sauropodes, tandis que de nouvelles espèces se développaient, notamment les ankylosauridés, les hadrosaures ou les cératopsiens. Devant tant de proies, les théropodes carnivores, tel le Tyrannosaure, se sont vite imposés. À la fin du Crétacé, 80 millions d'années plus tard, environ 60 % de la faune a brutalement disparu. Ce fut la fin des dinosaures.

• Habitat des dinosaures au Crétacé

La Terre éclatée

La Laurasie et le Gondwana sont divisés en plusieurs fragments. Il est devenu très difficile pour les dinosaures de migrer d'un continent à l'autre. Les dinosaures du Gondwana se différencient peu à peu de ceux de la Laurasie, et les espèces se multiplient. La plupart des fossiles de dinosaures que l'on retrouve aujourd'hui datent du Crétacé.

À TOI DE JOUER
CRÉE TON PROPRE DINOSAURE

Certains dinosaures font penser à un assemblage de morceaux empruntés à différents autres animaux. As-tu déjà pensé à créer un dinosaure de toutes pièces ? Comment imagines-tu un Girafféodon ou un Éléphantosaure ?

❶ Il te faut du papier blanc et des crayons de couleur. Pour glaner quelques idées, regarde des illustrations d'oiseaux, de reptiles, de dinosaures ou d'autres animaux.

❷ Dessine ton dinosaure imaginaire sur le papier. Inspire-toi de dinosaures qui ont vraiment existé en ajoutant des caractéristiques d'animaux actuels. Puis choisis sa couleur et colorie-le !

❸ Donne-lui un nom et imagine son mode de vie : que mange-t-il ? où habite-t-il ? quels sont ses amis ? quels sont ses ennemis ?

Vélociraptor

Tyrannosaure

HISTOIRE DE MOTS

• Le **Crétacé** doit son nom à la craie blanche (*creta* en latin) des falaises du sud de l'Angleterre, qui se sont formées à cette époque.

• **Jurassique** est formé sur Jura, le nom d'un massif montagneux qui s'étire entre la France, la Suisse et l'Allemagne, constitué de roches datant de cette période géologique.

INCROYABLE !

Les cafards, qui existaient avant les dinosaures, sont des fossiles vivants, car ils offrent aujourd'hui le même aspect que lorsqu'ils sont apparus sur terre. Certains requins, lézards, crocodiles, grenouilles et tortues aussi étaient déjà présents à l'époque des dinosaures.

ZAPPING

• Qu'est-ce qu'un hadrosaure ? Réponse pages 34-35.
• Comment les dinosaures herbivores se défendaient-ils des attaques des prédateurs ? → pages 36-37.
• Dans les années 1980, des paléontologues sont retournés dans le désert de Gobi. Ont-ils trouvé d'autres dinosaures ? → page 50.

FLEURS ET ANIMAUX

PREMIÈRES FLEURS

Les magnolias sont parmi les premières fleurs à être apparues sur terre. Les espèces actuelles sont presque identiques à leurs ancêtres. Les dinosaures herbivores se nourrissaient probablement déjà de ces premières plantes à fleurs.

UNE VIE DE LÉZARD

Lézards et serpents étaient très répandus au Crétacé. Le Polyglyphanodon avait à peu près la taille d'un lapin. Il figurait souvent au menu des petits dinosaures carnivores d'Amérique du Nord.

GROS PLAN

LE DÉSERT DE GOBI

Le désert de Gobi, en Mongolie et en Chine, est une région froide et austère. Mais, pour ceux qui consacrent leur vie à rechercher des fossiles de dinosaures, c'est le paradis. Entre 1922 et 1925, le Muséum américain d'histoire naturelle y a organisé quatre expéditions. À la tête d'une caravane de chameaux et de voitures chargés de provisions, les paléontologues ont affronté des bandits de grand chemin et des tempêtes de sable, mais ils ont été les premiers à trouver des œufs et à découvrir de nouvelles espèces comme l'Oviraptor, le Protocératops, le Saurornithoides et le Vélociraptor.

MAMMIFÈRES D'AUTREFOIS

Les premiers mammifères étaient déjà répandus au Crétacé, mais ne dépassaient jamais la taille d'un chat. Celui-ci, baptisé Crusafontia, faisait le régal des petits dinosaures carnivores.

TROUPEAU À L'HORIZON !

Une horde de Corythosaures à crête et de Chasmosaures à cornes traverse une plaine d'Amérique du Nord dans un grondement de tonnerre. Comme chaque année, les herbivores migrent en quête de nourriture, parfois par dizaines de milliers. Les carnivores, tel le Tyrannosaure, se mettent à l'affût sur leur passage, traquant les animaux faibles et malades.

Pachycéphalosaure

Apatosaure (saurischien)

Wuerhosaure (ornithischien)

DEUX GROUPES

Les dinosaures se classent en deux groupes : les saurischiens, qui ont un bassin proche de celui des lézards, et les ornithischiens, dont le bassin est comparable à celui des oiseaux. Tous les carnivores et certains herbivores (les sauropodes) appartiennent au groupe des saurischiens. Les autres herbivores sont des ornithischiens. Chez ces derniers, l'os du pubis est orienté vers l'arrière, une disposition qui dégage l'espace nécessaire pour un appareil digestif plus volumineux. Chez tous les dinosaures, les os du bassin étaient reliés à ceux des pattes de la même manière, grâce à une articulation à angle droit. Ils furent ainsi les premiers animaux à marcher sur des pattes dressées verticalement sous le corps plutôt qu'écartées sur les côtés. Ils dépensaient ainsi moins d'énergie pour se déplacer, ce qui explique leur rapidité et leur endurance.

PATTES ÉCARTÉES
Les lézards avancent ventre à terre et ne peuvent soulever qu'une patte à la fois. Ce mouvement, qui demande une grande dépense d'énergie, ne permet que de courtes pointes de vitesse.

PATTES DRESSÉES PUIS ÉCARTÉES
Si les jeunes crocodiles marchent en position dressée, les adultes avancent en rampant, les pattes écartées et fléchies, comme les autres reptiles.

À TOI DE JOUER

UN PUZZLE D'OS

Quand ils découvrent un amas d'os en vrac, les paléontologues doivent assembler correctement les pièces pour recréer un squelette. Amuse-toi à reconstituer un squelette de poulet.

❶ Demande à tes parents de faire bouillir les os d'un poulet pour bien les nettoyer. Dispose-les à plat sur une table.

❷ Observe tous les morceaux et essaie d'imaginer comment les assembler pour obtenir un squelette. Les os des pattes et des ailes sont longs et droits. La cage thoracique est formée de côtes incurvées. Le bassin est un os plat sur lequel s'articulent les pattes. Les vertèbres du dos sont de petits os carrés.

UN OS QUI FAIT LA DIFFÉRENCE
Le bassin d'un dinosaure se compose de trois os. Le pubis et l'ilion supportent les muscles des pattes, l'ischion porte ceux de la queue. Il est facile de distinguer les deux types de bassin. Chez les saurischiens, le pubis est pointé vers l'avant, chez les ornithischiens, il est orienté vers l'arrière.

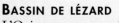

Ilion

Ischion

Pubis

BASSIN DE LÉZARD
L'Oviraptor, un carnivore, est un saurischien. Pointé vers l'avant, son pubis forme un triangle avec les deux autres os du bassin, l'ilion et l'ischion.

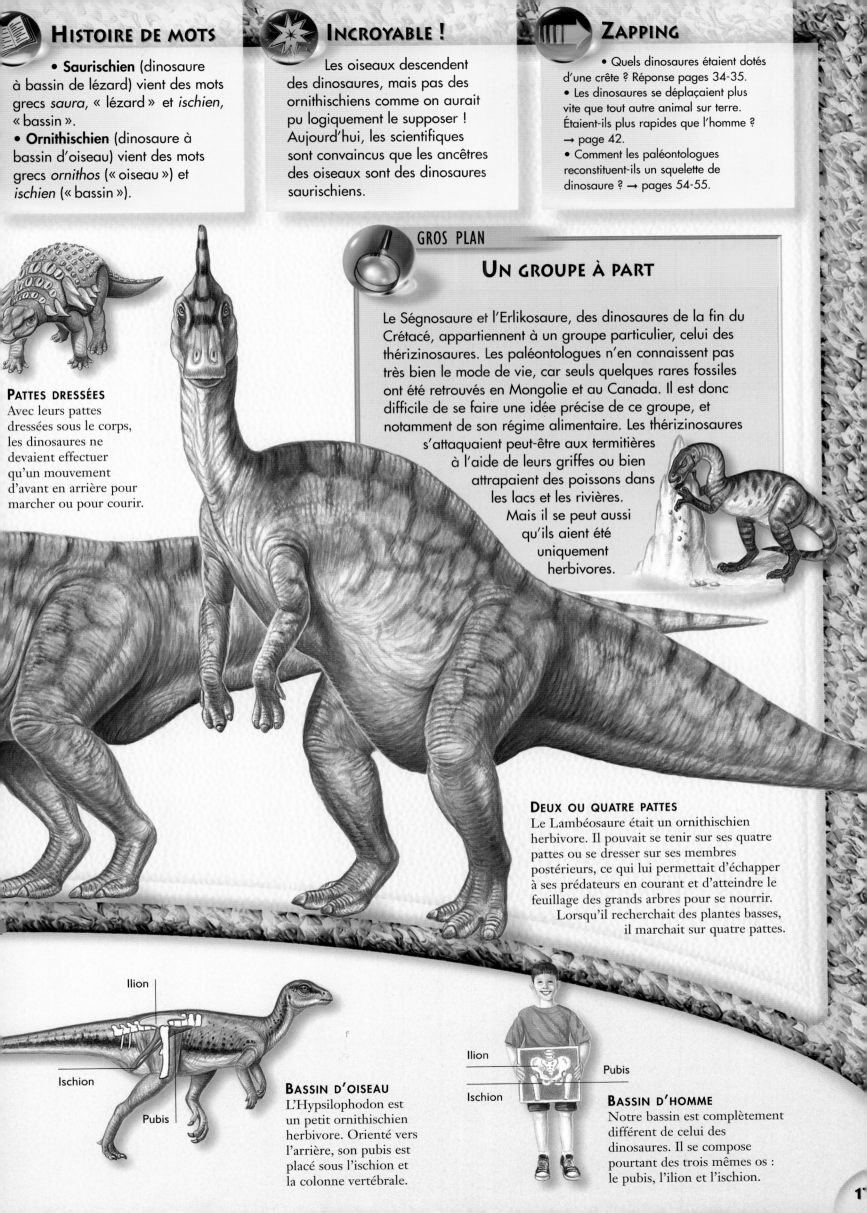

HISTOIRE DE MOTS

- **Saurischien** (dinosaure à bassin de lézard) vient des mots grecs *saura*, « lézard » et *ischien*, « bassin ».
- **Ornithischien** (dinosaure à bassin d'oiseau) vient des mots grecs *ornithos* (« oiseau ») et *ischien* (« bassin »).

INCROYABLE !

Les oiseaux descendent des dinosaures, mais pas des ornithischiens comme on aurait pu logiquement le supposer ! Aujourd'hui, les scientifiques sont convaincus que les ancêtres des oiseaux sont des dinosaures saurischiens.

ZAPPING

- Quels dinosaures étaient dotés d'une crête ? Réponse pages 34-35.
- Les dinosaures se déplaçaient plus vite que tout autre animal sur terre. Étaient-ils plus rapides que l'homme ? → page 42.
- Comment les paléontologues reconstituent-ils un squelette de dinosaure ? → pages 54-55.

GROS PLAN

UN GROUPE À PART

Le Ségnosaure et l'Erlikosaure, des dinosaures de la fin du Crétacé, appartiennent à un groupe particulier, celui des thérizinosaures. Les paléontologues n'en connaissent pas très bien le mode de vie, car seuls quelques rares fossiles ont été retrouvés en Mongolie et au Canada. Il est donc difficile de se faire une idée précise de ce groupe, et notamment de son régime alimentaire. Les thérizinosaures s'attaquaient peut-être aux termitières à l'aide de leurs griffes ou bien attrapaient des poissons dans les lacs et les rivières. Mais il se peut aussi qu'ils aient été uniquement herbivores.

PATTES DRESSÉES

Avec leurs pattes dressées sous le corps, les dinosaures ne devaient effectuer qu'un mouvement d'avant en arrière pour marcher ou pour courir.

DEUX OU QUATRE PATTES

Le Lambéosaure était un ornithischien herbivore. Il pouvait se tenir sur ses quatre pattes ou se dresser sur ses membres postérieurs, ce qui lui permettait d'échapper à ses prédateurs en courant et d'atteindre le feuillage des grands arbres pour se nourrir. Lorsqu'il recherchait des plantes basses, il marchait sur quatre pattes.

Ilion

Ischion

Pubis

BASSIN D'OISEAU

L'Hypsilophodon est un petit ornithischien herbivore. Orienté vers l'arrière, son pubis est placé sous l'ischion et la colonne vertébrale.

Ilion

Pubis

Ischion

BASSIN D'HOMME

Notre bassin est complètement différent de celui des dinosaures. Il se compose pourtant des trois mêmes os : le pubis, l'ilion et l'ischion.

1

SANG CHAUD, SANG FROID

Le corps de tout être vivant ne peut fonctionner que s'il est à la bonne température. Il existe deux façons de réguler cette température. Les animaux à sang froid (ectothermes) se réchauffent en s'exposant au soleil, tandis que les animaux à sang chaud (endothermes) génèrent la chaleur grâce à l'énergie que leur procurent les aliments.

Certains dinosaures étaient des espèces à sang froid. Ils vivaient dans des régions chaudes. Leur corps emmagasinait la chaleur nécessaire pour traverser les périodes plus fraîches. Certains possédaient de grandes crêtes, plaques ou collerettes pour accélérer le réchauffement et le refroidissement. Les petits dinosaures devaient avoir le sang chaud. Ils pouvaient vivre sous tous les climats, tant qu'ils trouvaient assez de nourriture pour alimenter leur système de régulation interne.

DINOSAURES DANS LES TÉNÈBRES
Le Leaellynasaura vivait au Crétacé dans le sud de l'Australie, où les journées d'hiver devaient être sombres et glaciales. Or, il était trop petit pour migrer. Il s'agissait sans doute d'une espèce à sang chaud, car un animal à sang froid n'aurait pu survivre dans ces régions privées de soleil.

GROS PLAN

PAS SI LENTS !

« Les dinosaures étaient des animaux à sang froid, plutôt apathiques comme la plupart des reptiles. » C'est ce que l'on pensait jusqu'à ce que John Ostrom découvre le Deinonychus. Petit et agile, se tenant sur ses pattes arrière, ce redoutable prédateur était à la fois rapide et vigoureux, capable de s'attaquer à des proies plus grandes que lui. Or, pour Ostrom, ce type de morphologie et de comportement ne peut correspondre qu'à un animal à sang chaud.

POUR UN PEU DE FRAÎCHEUR
Le Spinosaure était un grand carnivore des pays chauds. Il n'avait donc pas de problème pour se réchauffer. Il se rafraîchissait grâce à la haute crête située sur son dos, qui faisait office de « climatiseur » intégré. Quand il commençait à avoir trop chaud, il se mettait à l'ombre. Son sang remontait alors vers la crête, où il se refroidissait avant de refluer pour irriguer l'organisme.

LES OS AU MICROSCOPE
Les os animaux à sang chaud et à sang froid présentent des croissances différentes, que l'on peut visualiser en observant des os au microscope. Les paléontologues étudient également ces différences chez les dinosaures.

OS À SANG CHAUD
Au microscope, cet os de dinosaure ressemble à un os de mammifère. Son propriétaire avait peut-être le sang chaud, comme les mammifères modernes.

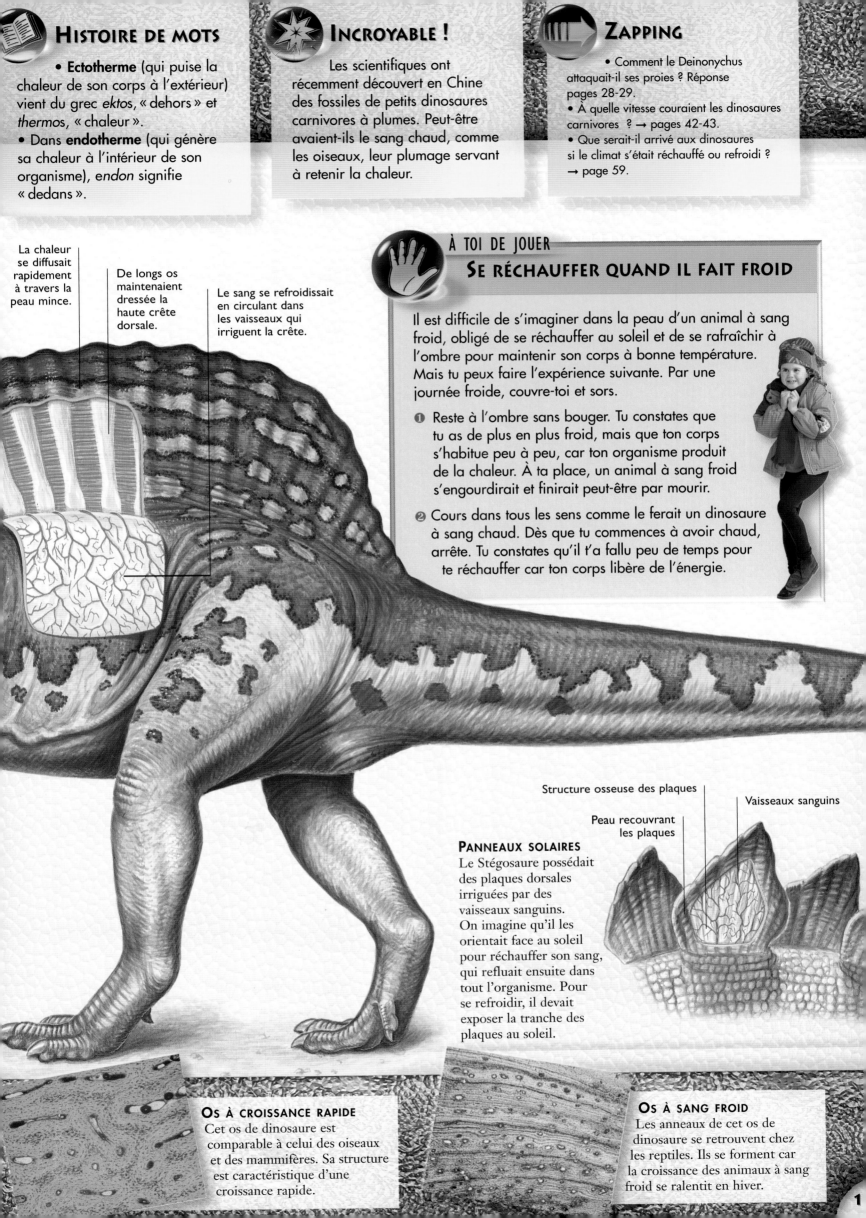

HISTOIRE DE MOTS

• **Ectotherme** (qui puise la chaleur de son corps à l'extérieur) vient du grec *ektos*, « dehors » et *thermos*, « chaleur ».
• Dans **endotherme** (qui génère sa chaleur à l'intérieur de son organisme), *endon* signifie « dedans ».

INCROYABLE !

Les scientifiques ont récemment découvert en Chine des fossiles de petits dinosaures carnivores à plumes. Peut-être avaient-ils le sang chaud, comme les oiseaux, leur plumage servant à retenir la chaleur.

ZAPPING

• Comment le Deinonychus attaquait-il ses proies ? Réponse pages 28-29.
• À quelle vitesse couraient les dinosaures carnivores ? → pages 42-43.
• Que serait-il arrivé aux dinosaures si le climat s'était réchauffé ou refroidi ? → page 59.

La chaleur se diffusait rapidement à travers la peau mince.

De longs os maintenaient dressée la haute crête dorsale.

Le sang se refroidissait en circulant dans les vaisseaux qui irriguent la crête.

À TOI DE JOUER
SE RÉCHAUFFER QUAND IL FAIT FROID

Il est difficile de s'imaginer dans la peau d'un animal à sang froid, obligé de se réchauffer au soleil et de se rafraîchir à l'ombre pour maintenir son corps à bonne température. Mais tu peux faire l'expérience suivante. Par une journée froide, couvre-toi et sors.

❶ Reste à l'ombre sans bouger. Tu constates que tu as de plus en plus froid, mais que ton corps s'habitue peu à peu, car ton organisme produit de la chaleur. À ta place, un animal à sang froid s'engourdirait et finirait peut-être par mourir.

❷ Cours dans tous les sens comme le ferait un dinosaure à sang chaud. Dès que tu commences à avoir chaud, arrête. Tu constates qu'il t'a fallu peu de temps pour te réchauffer car ton corps libère de l'énergie.

Structure osseuse des plaques

Vaisseaux sanguins

Peau recouvrant les plaques

PANNEAUX SOLAIRES
Le Stégosaure possédait des plaques dorsales irriguées par des vaisseaux sanguins. On imagine qu'il les orientait face au soleil pour réchauffer son sang, qui refluait ensuite dans tout l'organisme. Pour se refroidir, il devait exposer la tranche des plaques au soleil.

OS À CROISSANCE RAPIDE
Cet os de dinosaure est comparable à celui des oiseaux et des mammifères. Sa structure est caractéristique d'une croissance rapide.

OS À SANG FROID
Les anneaux de cet os de dinosaure se retrouvent chez les reptiles. Ils se forment car la croissance des animaux à sang froid se ralentit en hiver.

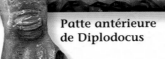

Patte antérieure
de Diplodocus

Patte postérieure
de Vélociraptor

Bras de Baryonyx

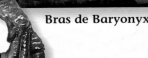

Opération survie

Les dinosaures disposaient de tout un arsenal
de stratégies pour la défense et pour l'attaque.
Les herbivores étaient souvent armés de cornes, de
cuirasses, de piques ou de massues pour se protéger
des carnivores. Les sauropodes utilisaient leur queue
pour maintenir les prédateurs en respect. Beaucoup
d'herbivores restaient groupés pour dissuader les
prédateurs de se jeter sur eux.

Les carnivores attaquaient leurs proies en recourant à
toutes sortes d'armes et de tactiques de capture et de
mise à mort. Les grands théropodes tel le Tyrannosaure
chassaient seuls ou à deux ou trois, en se dissimulant
jusqu'au dernier moment. Les petits Vélociraptors
pourchassaient leurs proies en groupe. La plupart des
carnivores infligeaient le coup fatal à l'aide de leurs
griffes ou de leurs dents. Pour se défendre, ils utilisaient
les mêmes armes : surprise, vitesse, dents et griffes.

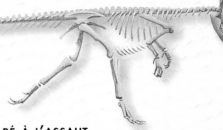

Paré à l'assaut

Les pachycéphalosauridés avaient une tête
massive et aplatie, qui leur servait d'arme
dans les combats contre les mâles de leur
espèce ou contre des prédateurs.

 GROS PLAN

En pleine action

Il est rare de trouver des traces de combats de dinosaures.
C'est pourtant ce que des paléontologues ont découvert en
Mongolie. Voici des millions d'années, un Vélociraptor s'est
attaqué à un Protocératops. Au cours de la lutte, ils se sont
approchés d'une dune de sable, qui s'est effondrée sur eux.
Tous deux sont conservés dans la position qu'ils avaient au
moment de leur mort : les dents du Protocératops encore
refermées sur une patte du Vélociraptor, et les griffes du
Vélociraptor enfoncées dans le corps du
Protocératops. Ces dinosaures sont
restés ainsi agrippés l'un à l'autre
pendant 80 millions
d'années.

Tenues de camouflage

Nous ne savons pas de quelle couleur étaient les dinosaures,
mais nous connaissons le milieu dans lequel ils évoluaient.
Nous savons qu'un animal dont la robe se fond dans la
nature se dérobe facilement à la vue de ses prédateurs et
de ses proies. On peut imaginer l'aspect des dinosaures en
observant la faune vivant aujourd'hui dans le même milieu.

Rayé

Le Coelophysis était un
prédateur rapide comme
un félin. Peut-être était-il
aussi rayé comme un tigre.
Ce camouflage lui aurait
permis d'approcher ses
proies sans être vu avant
d'attaquer.

HISTOIRE DE MOTS

- Le nom **Vélociraptor** (voleur rapide) est composé des mots latins *velox* (« rapide ») et *raptus* (« enlèvement »).
- **Pachycéphalosaure** signifie « lézard à tête épaisse » et vient du grec *pakhus* (« épais ») et *kephalos* (« tête »). Ce dinosaure avait une grosse tête osseuse.

INCROYABLE !

Jusqu'à quel âge vivaient les dinosaures ? Nous n'en savons rien, mais, s'ils grandissaient au rythme des crocodiles, les plus gros devaient dépasser 300 ans. S'ils fonctionnaient comme des éléphants, les plus imposants devaient être centenaires.

ZAPPING

- Quelle était la tactique de chasse d'un groupe de Vélociraptors ? Réponse page 29.
- À quoi ressemblaient les dinosaures armés de cornes, de piques, de massues et de cuirasses ? → pages 36-37.
- Peut-on scientifiquement retrouver la couleur des dinosaures ? → page 56.

COMBAT FOSSILISÉ

Un Dromaeosaure attaque un Lambéosaure. Les deux squelettes ont été reconstitués dans cette posture réaliste, afin de donner l'image de ce que pouvait être un combat à mort de dinosaures.

ARMÉ D'UN FOUET

Le Diplodocus possédait une queue souple comme un fouet, presque aussi longue qu'un court de tennis. Il s'en servait pour assener des coups violents à ses assaillants.

À L'ASSAUT

L'Ankylosaure donne un grand coup de queue à un Tyrannosaure. L'impact de cette massue osseuse pouvait briser les chevilles du prédateur. Le dos de l'Ankylosaure était hérissé de lames et de pointes, mais une seule morsure du Tyrannosaure dans son tendre poitrail signait son arrêt de mort.

HÉRISSÉ D'ÉPINES

La queue du Tuojiangosaure était dotée d'une batterie de piques. D'un seul coup de queue, cet herbivore perforait le poitrail d'un prédateur.

TACHETÉ

Le Dryosaure était un petit herbivore des forêts, comme le daim. Ce dernier a un pelage sombre tacheté de blanc, qui rappelle les taches de lumière des sous-bois. Les Dryosaures avaient-ils aussi des taches sur le dos ?

UNI

L'Edmontosaure était un animal grégaire et migrateur, comme l'antilope. Avec une robe de la même couleur, l'Edmontosaure pouvait certainement se fondre dans l'immensité des plaines.

LA REPRODUCTION

Comme les oiseaux et la plupart des reptiles, les dinosaures étaient ovipares. Les paléontologues pensaient autrefois que les dinosaures n'élevaient pas leurs petits, comme la plupart des reptiles. Cette hypothèse a été remise en question en 1978, lors de la découverte d'une « crèche » pour bébés Maïasauras dans le Montana (États-Unis). Les nids étaient bâtis côte à côte, et il y avait assez de place pour que les adultes puissent surveiller leurs petits sans en écraser. Les coquilles étaient brisées et les petits avaient les dents usées : leurs parents les nourrissaient donc jusqu'à ce qu'ils deviennent autonomes.

Peu à peu, les paléontologues en ont appris plus sur les nids, les œufs et les soins parentaux. Ils en ont conclu que la plupart des dinosaures s'occupaient de leurs petits après l'éclosion, comme les oiseaux.

ŒUF D'OVIRAPTOR
Cet œuf long et fin est celui d'un Oviraptor. Il est creusé de petites rainures longitudinales : sans doute a-t-il été écrasé voici des millions d'années et s'est-il fossilisé ainsi.

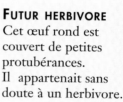

ŒUF DE POULE
Pour se faire une idée de la taille des œufs de dinosaure, comparons-les à un œuf de poule.

FUTUR HERBIVORE
Cet œuf rond est couvert de petites protubérances. Il appartenait sans doute à un herbivore.

À TABLE !
Une maman Oviraptor revient au nid, où l'attendent ses petits, affamés. Elle rapporte un bébé Vélociraptor tout frais pour le dîner. Oviraptor signifie « voleur d'œufs », car le premier fossile de cette espèce a été retrouvé près d'un nid plein. Et les scientifiques ont cru que le nid appartenait à un autre dinosaure, dont l'Oviraptor venait dérober les œufs. Aujourd'hui, nous savons que le nid était bien celui d'un Oviraptor et le squelette, celui de la mère.

GROS PLAN

QUE D'ŒUFS, QUE D'ŒUFS !

En 1978, dans une boutique du Montana, l'Américain John Horner tomba sur des os de bébé hadrosaure. Il mena une enquête et retrouva le lieu où avaient été déterrés ces os. Là, il mit au jour un nid rempli de coquilles écrasées et de 15 petits hadrosaures d'environ 1 m de long. Puis il découvrit la crèche tout entière : 15 nids pleins d'œufs et de bébés. Inconnue jusqu'alors, cette espèce d'hadrosaure fut baptisée Maïasaura. Une équipe de chercheurs se mit à fouiller la région et découvrit des nids d'une autre espèce (Orodromeus). Au total, la région recelait plus de 500 nids, ainsi qu'une horde de 10 000 dinosaures tués par une éruption volcanique. Et les recherches se poursuivent !

LE LANGAGE DES ŒUFS

EN RANG PAR DEUX
Tous les dinosaures ne disposaient pas leurs œufs de la même manière. Certains petits carnivores les alignaient ainsi sur deux rangs. Les œufs étaient en général à demi enfouis.

EN DEMI-CERCLE
Les femelles sauropodes disposaient leurs œufs en demi-cercle à même le sol (a priori sans bâtir de nid). Après avoir pondu le premier, elles décalaient leurs pattes postérieures sur le côté (les pattes antérieures restaient dans la même position) pour pondre le suivant.

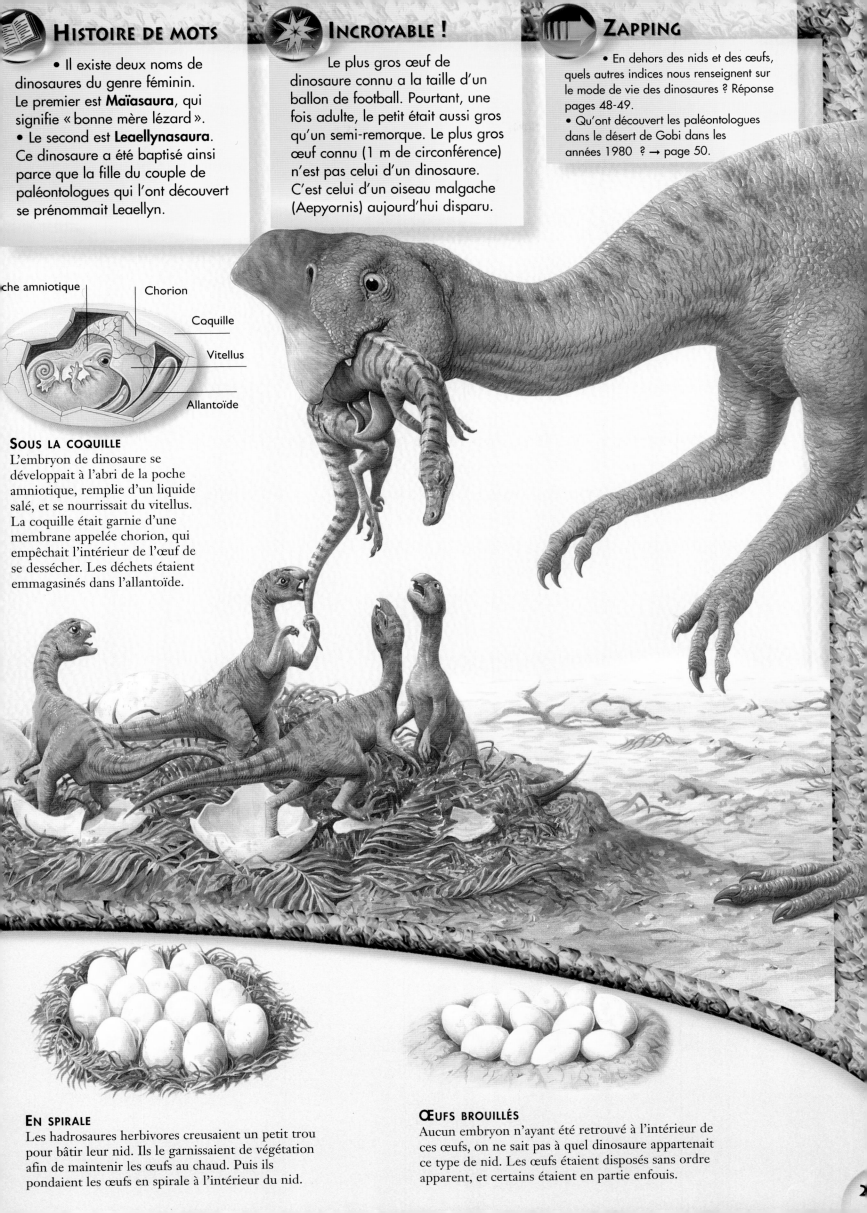

📖 HISTOIRE DE MOTS

• Il existe deux noms de dinosaures du genre féminin. Le premier est **Maïasaura**, qui signifie « bonne mère lézard ».
• Le second est **Leaellynasaura**. Ce dinosaure a été baptisé ainsi parce que la fille du couple de paléontologues qui l'ont découvert se prénommait Leaellyn.

✳ INCROYABLE !

Le plus gros œuf de dinosaure connu a la taille d'un ballon de football. Pourtant, une fois adulte, le petit était aussi gros qu'un semi-remorque. Le plus gros œuf connu (1 m de circonférence) n'est pas celui d'un dinosaure. C'est celui d'un oiseau malgache (Aepyornis) aujourd'hui disparu.

📚 ZAPPING

• En dehors des nids et des œufs, quels autres indices nous renseignent sur le mode de vie des dinosaures ? Réponse pages 48-49.
• Qu'ont découvert les paléontologues dans le désert de Gobi dans les années 1980 ? → page 50.

Poche amniotique   Chorion

Coquille

Vitellus

Allantoïde

SOUS LA COQUILLE

L'embryon de dinosaure se développait à l'abri de la poche amniotique, remplie d'un liquide salé, et se nourrissait du vitellus. La coquille était garnie d'une membrane appelée chorion, qui empêchait l'intérieur de l'œuf de se dessécher. Les déchets étaient emmagasinés dans l'allantoïde.

EN SPIRALE

Les hadrosaures herbivores creusaient un petit trou pour bâtir leur nid. Ils le garnissaient de végétation afin de maintenir les œufs au chaud. Puis ils pondaient les œufs en spirale à l'intérieur du nid.

ŒUFS BROUILLÉS

Aucun embryon n'ayant été retrouvé à l'intérieur de ces œufs, on ne sait pas à quel dinosaure appartenait ce type de nid. Les œufs étaient disposés sans ordre apparent, et certains étaient en partie enfouis.

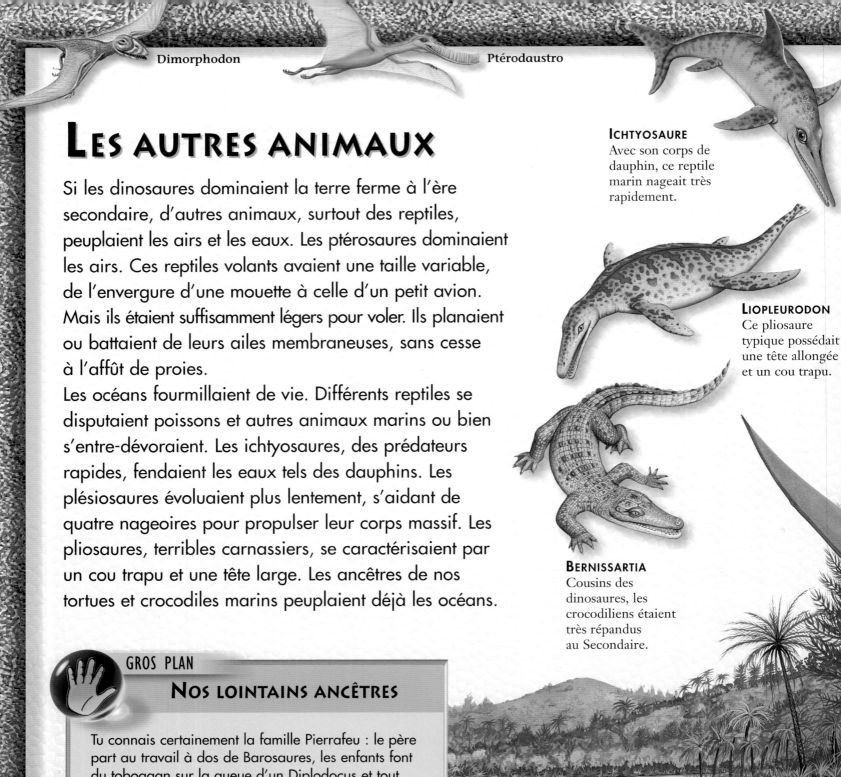

Dimorphodon   Ptérodaustro

LES AUTRES ANIMAUX

Si les dinosaures dominaient la terre ferme à l'ère
secondaire, d'autres animaux, surtout des reptiles,
peuplaient les airs et les eaux. Les ptérosaures dominaient
les airs. Ces reptiles volants avaient une taille variable,
de l'envergure d'une mouette à celle d'un petit avion.
Mais ils étaient suffisamment légers pour voler. Ils planaient
ou battaient de leurs ailes membraneuses, sans cesse
à l'affût de proies.

Les océans fourmillaient de vie. Différents reptiles se
disputaient poissons et autres animaux marins ou bien
s'entre-dévoraient. Les ichtyosaures, des prédateurs
rapides, fendaient les eaux tels des dauphins. Les
plésiosaures évoluaient plus lentement, s'aidant de
quatre nageoires pour propulser leur corps massif. Les
pliosaures, terribles carnassiers, se caractérisaient par
un cou trapu et une tête large. Les ancêtres de nos
tortues et crocodiles marins peuplaient déjà les océans.

ICHTYOSAURE
Avec son corps de
dauphin, ce reptile
marin nageait très
rapidement.

LIOPLEURODON
Ce pliosaure
typique possédait
une tête allongée
et un cou trapu.

BERNISSARTIA
Cousins des
dinosaures, les
crocodiliens étaient
très répandus
au Secondaire.

GROS PLAN
NOS LOINTAINS ANCÊTRES

Tu connais certainement la famille Pierrafeu : le père
part au travail à dos de Barosaures, les enfants font
du toboggan sur la queue d'un Diplodocus et tout
le monde vit parmi les dinosaures. Tout cela n'a
jamais existé. Les derniers dinosaures se sont éteints
il y a 65 millions d'années, alors que les premiers
hommes sont apparus voici moins de 1 million
d'années.

Mais nos très lointains
ancêtres existaient au
Secondaire : pas plus
grands que des chats,
les tout premiers
mammifères
cohabitaient avec
les dinosaures.

Élasmosaure (plésiosaure)   Kronosaure (pliosaure

- *Plesio* signifie « proche de ». Les **plésiosaures** (proches du lézard) ont été baptisés ainsi car on croyait, à tort, qu'ils étaient apparentés aux crocodiles.
- *Ptero* signifie « aile ». Les **ptérosaures** (lézards ailés) étaient des reptiles volants.

Le Quetzalcoatlus était un ptérosaure, le plus grand animal volant de tous les temps (14 m d'envergure). Il semble qu'il ne battait pas des ailes pour voler : il les ouvrait grandes pour se laisser porter par les courants d'air, comme un planeur.

- Quels autres reptiles vivaient avec les dinosaures ? Réponse page 9.
- Quels sont les plus proches parents actuels des dinosaures ? → pages 60-61.

ILS ONT ÉVOLUÉ EN MÊME TEMPS

D'autres animaux existaient à l'époque des dinosaures.

SERPENTS ET LÉZARDS

Le Pachyrhachis est l'un des premiers serpents connus. Il peuplait la région de l'actuel Israël pendant le Crétacé. Les serpents, tout comme les lézards, ont évolué au cours du Secondaire.

BÂTI POUR VOLER

Ce fossile de Rhamphorhynchus montre combien le squelette des ptérosaures était léger. Les ailes membraneuses se déploient du corps jusqu'à l'extrémité des quatrièmes doigts, qui sont extrêmement longs.

MITES ET ABEILLES

Si beaucoup d'insectes existaient déjà, deux groupes sont apparus en même temps que les dinosaures : de minuscules mites et de petites abeilles organisées en sociétés.

DANGER SUR TOUS LES FRONTS

Un Scaphognathus apparaît dans le ciel de ce qui est aujourd'hui l'Europe, à la fin du Jurassique. Il a jeté son dévolu sur un banc de poissons (des Pholidophorus), tout comme le plésiosaure (un Cryptoclidus de 4 m de long) qui se trouve à proximité. L'extrémité de la queue du Scaphognathus, en forme de feuille, devait lui servir de gouvernail pour s'orienter en vol. On a trouvé des fossiles de ce reptile volant dans le sud de l'Angleterre.

MAMMIFÈRES

Ils sont apparus à l'époque des dinosaures, mais ils sont restés petits pendant la plus grande partie de cette période, comme cet Alphadon.

Archélon (tortue)

Platécarpus (mosasaure)

UNE GRANDE FAMILLE

Tu vas maintenant faire plus ample connaissance avec les grands groupes de dinosaures. Tu rencontreras d'abord les carnivores, ces féroces prédateurs qui semaient la terreur pour se nourrir. Tu pourras ensuite côtoyer sans danger les herbivores, dont l'allure est quelquefois étonnante, avec des espèces au très long cou et d'autres arborant d'étranges appendices sur la tête ou sur le corps.

Après cela, tu constateras que le groupe des dinosaures est très varié, avec des espèces géantes et d'autres à taille plus « humaine ». Pour finir en beauté ce chapitre, tu verras les espèces les plus féroces et les plus rapides, celles qui passionnent par-dessus tout les amateurs de sensations fortes.

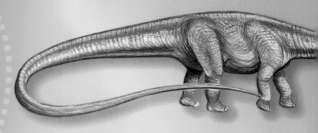

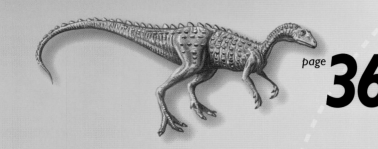

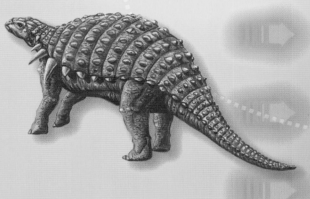

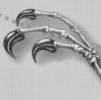

LES CARNIVORES

Les dinosaures carnivores étaient bâtis pour capturer, tuer et dépecer. Dressés sur leurs puissantes pattes arrière, certains se servaient de leurs longues griffes pour saisir leur proie puis l'achevaient de leurs dents acérées, avant de la déchiqueter.

Le régime d'un dinosaure dépendait en grande partie de sa taille. Aussi grands qu'un camion, les théropodes tels le Tyrannosaure ou l'Allosaure se nourrissaient de dinosaures qu'ils chassaient seuls ou à deux ou trois, traquant des hordes d'herbivores pour s'attaquer aux animaux les plus faibles. D'autres théropodes, comme le Deinonychus et le Vélociraptor, se regroupaient pour chasser des animaux quatre fois plus grands qu'eux. Enfin, alors qu'il ne dépassait pas la taille d'une poule, le Compsognathus était un redoutable prédateur.

PAS DE FAUSSES DENTS POUR LES CARNIVORES

À force de les refermer sur la chair et sur les os de leurs proies, les carnivores se cassaient souvent les dents et les usaient très rapidement, mais de nouvelles poussaient aussitôt à leur place. Sur cette mâchoire de théropode, on voit des dents neuves prêtes à prendre le relais des anciennes.

COUP FATAL

Un Deinonychus fond sur sa proie. Il pouvait l'éventrer d'un seul coup des griffes de ses pattes postérieures. Puis il l'immobilisait entre ses pattes avant pour la dévorer. Le Deinonychus était peut-être couvert de plumes, non pas pour voler mais pour réguler la chaleur de son corps. C'est de dinosaures comme celui-ci que descendent les oiseaux.

Troodon

Dasplétosaure

Dasplétosaure

À TOI DE JOUER

CARNIVORES DOMESTIQUES

Les chiens et les chats présentent certains points communs avec les dinosaures carnivores, notamment les dents, les pattes et les griffes. De nombreux chiens possèdent des dents pointues et acérées, ainsi que de longues pattes pour courir vite. Ils sont capables de maintenir leurs proies immobiles pour les dépecer à l'aide de leurs crocs.

Ce n'est certainement pas le cas de ton ami à quatre pattes, mais n'oublie pas que ses cousins sauvages, comme le loup, se nourrissent ainsi.

Les chats possèdent quant à eux des dents identiques à celles des chiens, et les utilisent à peu près de la même manière. Leurs pattes sont dotées de griffes crochues et acérées qui leur servent à agripper leurs proies.

DES CROCS POUR DÉPECER

Les crocs des carnosaures comme le Troodon portent une fine dentelure. Les dents de Dasplétosaure sont également pourvues d'une dentelure, mais celle-ci est trop fine pour être visible sur l'illustration.

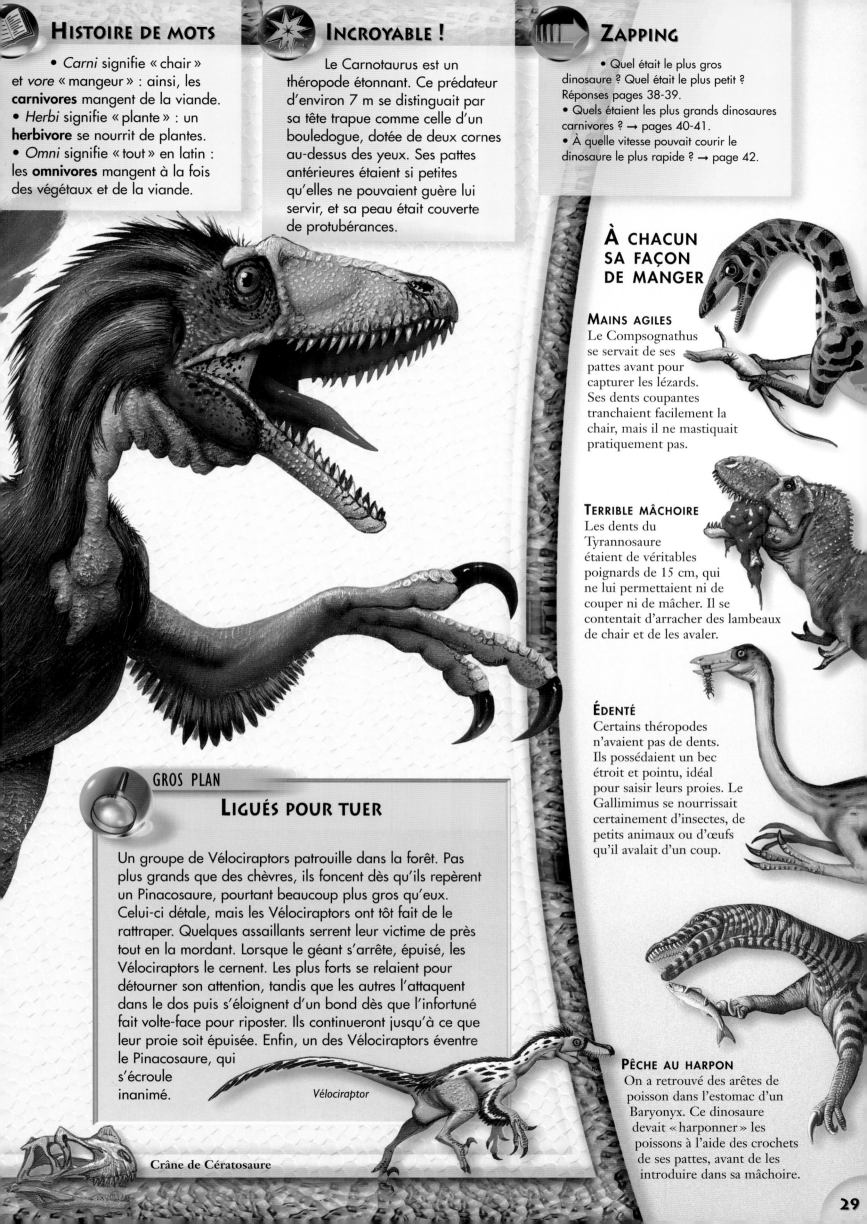

HISTOIRE DE MOTS

• *Carni* signifie « chair » et *vore* « mangeur » : ainsi, les **carnivores** mangent de la viande.
• *Herbi* signifie « plante » : un **herbivore** se nourrit de plantes.
• *Omni* signifie « tout » en latin : les **omnivores** mangent à la fois des végétaux et de la viande.

INCROYABLE !

Le Carnotaurus est un théropode étonnant. Ce prédateur d'environ 7 m se distinguait par sa tête trapue comme celle d'un bouledogue, dotée de deux cornes au-dessus des yeux. Ses pattes antérieures étaient si petites qu'elles ne pouvaient guère lui servir, et sa peau était couverte de protubérances.

ZAPPING

• Quel était le plus gros dinosaure ? Quel était le plus petit ? Réponses pages 38-39.
• Quels étaient les plus grands dinosaures carnivores ? → pages 40-41.
• À quelle vitesse pouvait courir le dinosaure le plus rapide ? → page 42.

À CHACUN SA FAÇON DE MANGER

MAINS AGILES

Le Compsognathus se servait de ses pattes avant pour capturer les lézards. Ses dents coupantes tranchaient facilement la chair, mais il ne mastiquait pratiquement pas.

TERRIBLE MÂCHOIRE

Les dents du Tyrannosaure étaient de véritables poignards de 15 cm, qui ne lui permettaient ni de couper ni de mâcher. Il se contentait d'arracher des lambeaux de chair et de les avaler.

ÉDENTÉ

Certains théropodes n'avaient pas de dents. Ils possédaient un bec étroit et pointu, idéal pour saisir leurs proies. Le Gallimimus se nourrissait certainement d'insectes, de petits animaux ou d'œufs qu'il avalait d'un coup.

GROS PLAN

LIGUÉS POUR TUER

Un groupe de Vélociraptors patrouille dans la forêt. Pas plus grands que des chèvres, ils foncent dès qu'ils repèrent un Pinacosaure, pourtant beaucoup plus gros qu'eux. Celui-ci détale, mais les Vélociraptors ont tôt fait de le rattraper. Quelques assaillants serrent leur victime de près tout en la mordant. Lorsque le géant s'arrête, épuisé, les Vélociraptors le cernent. Les plus forts se relaient pour détourner son attention, tandis que les autres l'attaquent dans le dos puis s'éloignent d'un bond dès que l'infortuné fait volte-face pour riposter. Ils continueront jusqu'à ce que leur proie soit épuisée. Enfin, un des Vélociraptors éventre le Pinacosaure, qui s'écroule inanimé.

Vélociraptor

PÊCHE AU HARPON

On a retrouvé des arêtes de poisson dans l'estomac d'un Baryonyx. Ce dinosaure devait « harponner » les poissons à l'aide des crochets de ses pattes, avant de les introduire dans sa mâchoire.

Crâne de Cératosaure

Fossile de pin   Fossile de ginkgo   Fossile de cycas

Mâchoires ouvertes   Mâchoires fermées

LES HERBIVORES

La majorité des dinosaures préféraient les plantes à la chair fraîche, même si les végétaux ne sont pas aussi nourrissants que la viande. Une multitude de plantes poussaient sous les climats chauds et humides du Secondaire, et les animaux n'avaient que l'embarras du choix.

Tous les herbivores ne se nourrissaient pas des mêmes espèces. Leur régime dépendait de leur taille, de leurs mâchoires, de leur dentition et de leur estomac. Les plus petits devaient grignoter les graines et les feuilles situées au ras du sol. D'autres possédaient plusieurs rangées de dents et de vigoureux muscles leur permettant de mastiquer les feuilles les plus coriaces. Les immenses sauropodes, quant à eux, n'avaient qu'à tendre le cou pour atteindre le haut des grands conifères.

MOUVEMENT DE MASTICATION

Lorsqu'un ornithopode, comme l'Iguanodon, fermait la bouche pour mastiquer, sa mâchoire inférieure effectuait un mouvement coulissant vers l'avant de telle façon que les dents des deux mâchoires frottaient les unes contre les autres, broyant la nourriture.

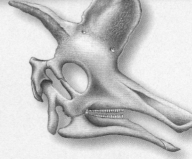

GROS PLAN
UNE DÉCOUVERTE À COUPER LE SOUFFLE

Le paléontologue américain David Gillette a retrouvé au Nouveau-Mexique un des plus gros animaux ayant jamais existé : le Séismosaure, un sauropode de 43 m de long qui vivait il y a 150 millions d'années. Il était si grand que Gillette a mis huit ans à exhumer ses os. Peut-être même en reste-t-il quelques-uns enfouis sous la roche. Dans la cage thoracique du Séismosaure, les paléontologues ont dénombré 231 gastrolithes, des pierres qu'il avait avalées pour digérer. La plupart des cailloux n'étaient pas plus gros qu'une pêche, mais l'un d'eux avait la taille d'un pamplemousse. Selon Gillette, c'est cette grosse pierre qui est restée coincée dans sa gorge et qui l'a étouffé.

À RAS DE TERRE

Deux Stégosaures broutent des petites fougères. Beaucoup plus courtes que les membres postérieurs, les pattes avant permettaient à ces dinosaures d'avoir la tête au ras du sol, à proximité de la nourriture. Leur dentition n'étant pas très développée, il est probable qu'ils ne sélectionnaient que la verdure la plus tendre. Ils avalaient des touffes entières sans les mâcher. Leur estomac énorme se chargeait ensuite de les broyer. On comprend pourquoi ils avaient un si gros ventre !

DENTS, BECS ET MÂCHOIRES

Les dents, ainsi que la forme de la mâchoire ou du bec, en disent long sur l'alimentation des herbivores. Tous ne mangeaient pas la même chose, ni de la même manière. Ils pouvaient arracher ou couper les feuilles, puis les broyer ou bien les avaler tout rond.

COUPER ET AVALER

Le Platéosaure avait de petites dents qui, tels des ciseaux, coupaient les feuilles tendres. Il avalait les touffes entières sans les mastiquer.

CUEILLIR ET BROYER

Le Lambéosaure cueillait les feuilles et les fruits à l'aide de son bec corné, puis il les broyait. Ses dents s'usaient rapidement, mais il en avait des centaines de rechange.

• *Don* signifie « dent » en latin. L'**Hétérodontosaure** est appelé «lézard à dents diverses » car il possédait trois types de dents. **Iguanodon** signifie «dent d'iguane», car les dents de ce dinosaure ressemblent un peu à celles d'un iguane.

Aucun dinosaure ne mangeait de l'herbe, car celle-ci n'existait pas à l'ère secondaire. Le premier brin d'herbe a poussé sur terre 25 millions d'années après la disparition du dernier dinosaure.

• Qu'est-ce qu'un paléobotaniste ? Réponse page 13.
• Tu as vu les Stégosaures ci-dessous. À quoi ressemblaient les autres herbivores à cuirasse ? → pages 36-37.
• Combien mesurait le dinosaure le plus long ? Et le plus petit ? → pages 38-39.

Les hadrosaures étaient dotés de centaines de dents minuscules.

DES PIERRES DANS L'ESTOMAC
Les sauropodes ne pouvaient pas broyer leurs aliments avec leurs dents. Ils avalaient des pierres, appelées gastrolithes, pour digérer plus facilement. En se déplaçant à l'intérieur de l'estomac, ces pierres broyaient les végétaux et favorisaient leur assimilation.

PINCER ET ÉCRASER
Avec son bec de perroquet, le Protocératops pinçait les feuilles pour les détacher. Il les réduisait ensuite en bouillie grâce à ses dents broyeuses.

DÉTACHER, TRANCHER ET HACHER
Avec ses petites dents de devant, l'Hétérodontosaure détachait les végétaux, qu'il tranchait à l'aide de ses crocs, tandis que les dents du fond lui servaient à hacher la nourriture.

ARRACHER ET AVALER
Le Brachiosaure avait des dents en forme de burin, qui lui permettaient d'arracher les feuilles des grands arbres. Incapable de mâcher, il les avalait telles quelles.

LES LONGS COUS

Les sauropodes au long cou sont les animaux les plus grands qui aient jamais existé sur la Terre. Le Séismosaure (« lézard tremblement de terre ») est le plus imposant d'entre eux, avec près de 43 m de long. Tous les sauropodes possédaient un cou interminable et une petite tête. Pour se défendre, ils se servaient de leur grande queue comme d'un fouet. Leur énorme corps reposait sur quatre pattes puissantes. Chez le Diplodocus et le Barosaure, les pattes arrière étaient plus longues que les pattes avant, tandis que chez le Brachiosaure, c'était l'inverse.

C'est au Jurassique que ces géants étaient le plus nombreux. Les terres étaient alors couvertes de forêts de conifères et de fougères touffues qui faisaient leur régal. Ils se regroupaient souvent en hordes pour protéger leurs petits, et passaient le plus clair de leur temps à grignoter des tonnes de verdure.

LE COU LE PLUS LONG DU MONDE
Découvert en Chine, ce squelette de Mamenchisaure est exposé à Pékin, la capitale. Son cou se révèle relativement léger, car certains segments des os sont fins comme une coquille d'œuf. Une armature en métal soutient cet immense fossile.

MAMENCHISAURE
Le cou du Mamenchisaure mesure plus de 10 m de long, ce qui représente la moitié du corps du dinosaure. Avec un cou comme celui-ci, tu pourrais, depuis le trottoir, espionner des gens au quatrième étage. Les sauropodes possédaient entre douze et dix-neuf vertèbres cervicales, sans compter les os auxiliaires qui maintenaient l'ensemble. À côté, les girafes font pâle figure avec leur cou de 2 m et leurs sept vertèbres.

GROS PLAN

LE DINOSAUR NATIONAL MONUMENT

De très nombreux fossiles de dinosaures ont été découverts aux États-Unis à la frontière entre l'Utah et le Colorado, sur ce qui fut il y a 150 millions d'années un banc de sable proche d'un fleuve. Portés par le courant, des cadavres de dinosaures ont échoué ici, et l'on peut aujourd'hui y admirer des centaines d'os de dinosaures, en particulier des sauropodes, tels que le Barosaure, l'Apatosaure et le Diplodocus. Au cours de la visite, les touristes peuvent voir des squelettes et des maquettes de dinosaures, assister au travail des paléontologues et admirer une paroi rocheuse hérissée de centaines d'os.

De tous les animaux dont nous connaissons l'existence, c'est le Mamenchisaure qui possédait le plus long cou.

Une grande queue en fouet pour contrebalancer le long cou

Des pattes droites et puissantes comme des piliers

Un bassin large et robuste pour supporter le poids du corps

Une cage thoracique en forme de tonneau pour protéger les organes internes

D'épaisses omoplates pour relier les pattes avant au corps

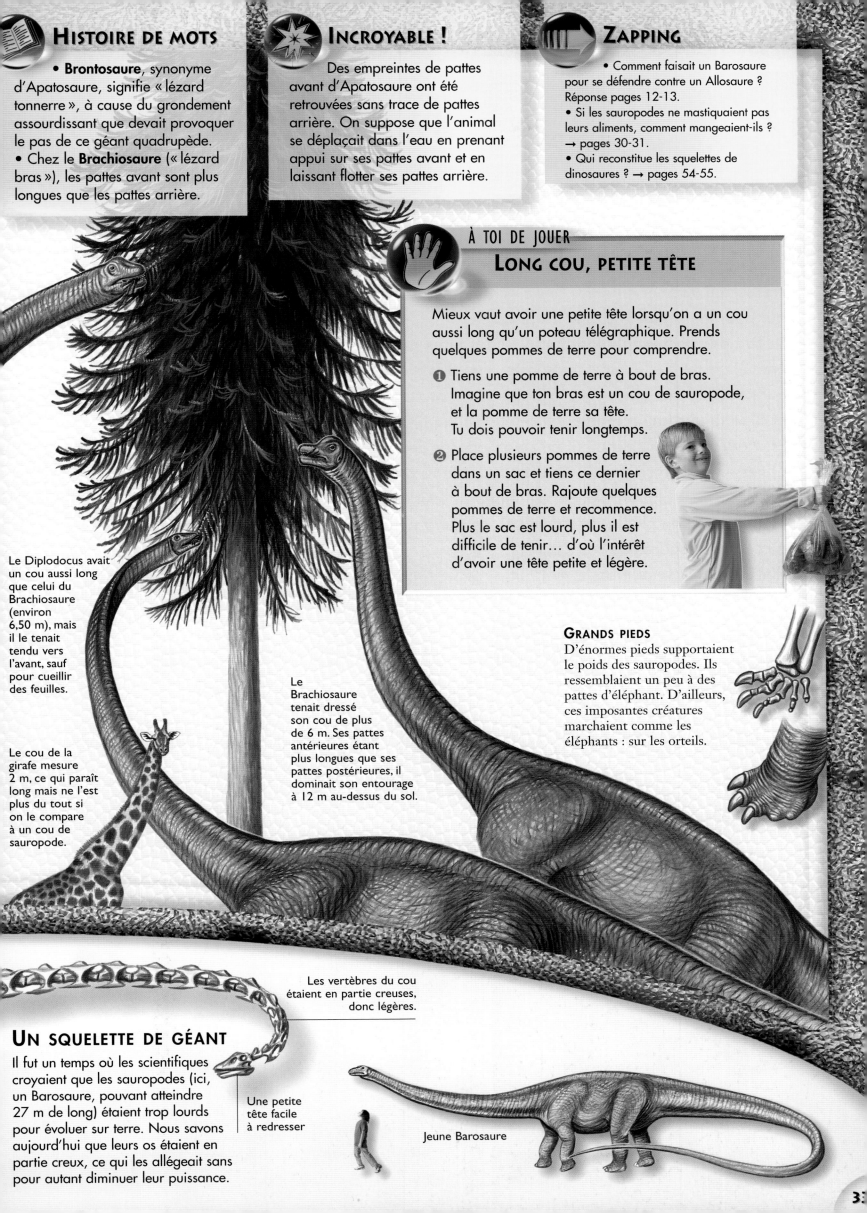

HISTOIRE DE MOTS

- **Brontosaure**, synonyme d'Apatosaure, signifie « lézard tonnerre », à cause du grondement assourdissant que devait provoquer le pas de ce géant quadrupède.
- Chez le **Brachiosaure** (« lézard bras »), les pattes avant sont plus longues que les pattes arrière.

INCROYABLE !

Des empreintes de pattes avant d'Apatosaure ont été retrouvées sans trace de pattes arrière. On suppose que l'animal se déplaçait dans l'eau en prenant appui sur ses pattes avant et en laissant flotter ses pattes arrière.

ZAPPING

- Comment faisait un Barosaure pour se défendre contre un Allosaure ? Réponse pages 12-13.
- Si les sauropodes ne mastiquaient pas leurs aliments, comment mangeaient-ils ? → pages 30-31.
- Qui reconstitue les squelettes de dinosaures ? → pages 54-55.

À TOI DE JOUER

LONG COU, PETITE TÊTE

Mieux vaut avoir une petite tête lorsqu'on a un cou aussi long qu'un poteau télégraphique. Prends quelques pommes de terre pour comprendre.

❶ Tiens une pomme de terre à bout de bras. Imagine que ton bras est un cou de sauropode, et la pomme de terre sa tête. Tu dois pouvoir tenir longtemps.

❷ Place plusieurs pommes de terre dans un sac et tiens ce dernier à bout de bras. Rajoute quelques pommes de terre et recommence. Plus le sac est lourd, plus il est difficile de tenir… d'où l'intérêt d'avoir une tête petite et légère.

Le Diplodocus avait un cou aussi long que celui du Brachiosaure (environ 6,50 m), mais il le tenait tendu vers l'avant, sauf pour cueillir des feuilles.

Le cou de la girafe mesure 2 m, ce qui paraît long mais ne l'est plus du tout si on le compare à un cou de sauropode.

Le Brachiosaure tenait dressé son cou de plus de 6 m. Ses pattes antérieures étant plus longues que ses pattes postérieures, il dominait son entourage à 12 m au-dessus du sol.

GRANDS PIEDS

D'énormes pieds supportaient le poids des sauropodes. Ils ressemblaient un peu à des pattes d'éléphant. D'ailleurs, ces imposantes créatures marchaient comme les éléphants : sur les orteils.

Les vertèbres du cou étaient en partie creuses, donc légères.

UN SQUELETTE DE GÉANT

Il fut un temps où les scientifiques croyaient que les sauropodes (ici, un Barosaure, pouvant atteindre 27 m de long) étaient trop lourds pour évoluer sur terre. Nous savons aujourd'hui que leurs os étaient en partie creux, ce qui les allégeait sans pour autant diminuer leur puissance.

Une petite tête facile à redresser

Jeune Barosaure

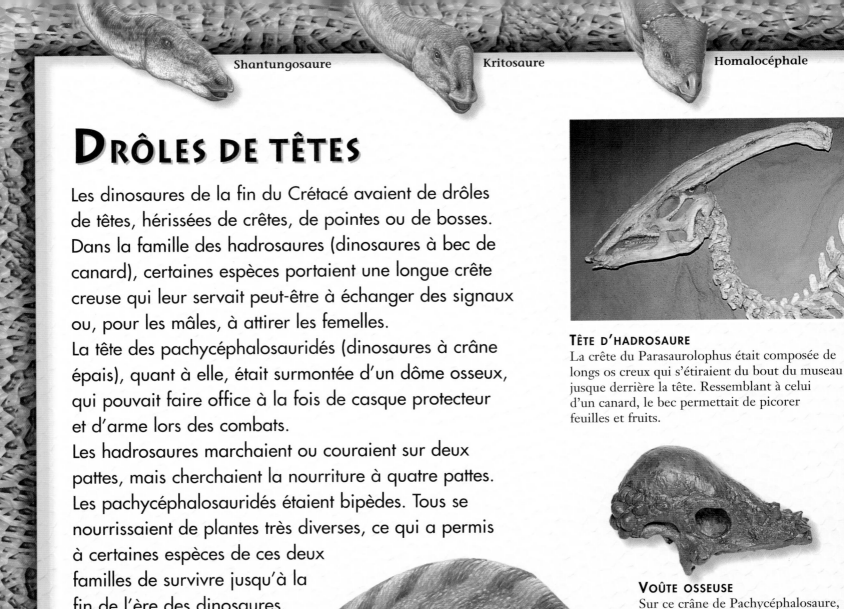

Shantungosaure   Kritosaure   Homalocéphale

DRÔLES DE TÊTES

Les dinosaures de la fin du Crétacé avaient de drôles de têtes, hérissées de crêtes, de pointes ou de bosses. Dans la famille des hadrosaures (dinosaures à bec de canard), certaines espèces portaient une longue crête creuse qui leur servait peut-être à échanger des signaux ou, pour les mâles, à attirer les femelles.

La tête des pachycéphalosauridés (dinosaures à crâne épais), quant à elle, était surmontée d'un dôme osseux, qui pouvait faire office à la fois de casque protecteur et d'arme lors des combats.

Les hadrosaures marchaient ou couraient sur deux pattes, mais cherchaient la nourriture à quatre pattes. Les pachycéphalosauridés étaient bipèdes. Tous se nourrissaient de plantes très diverses, ce qui a permis à certaines espèces de ces deux familles de survivre jusqu'à la fin de l'ère des dinosaures.

TÊTE D'HADROSAURE
La crête du Parasaurolophus était composée de longs os creux qui s'étiraient du bout du museau jusque derrière la tête. Ressemblant à celui d'un canard, le bec permettait de picorer feuilles et fruits.

VOÛTE OSSEUSE
Sur ce crâne de Pachycéphalosaure, l'épaisse bosse qui protégeait la tête tel un casque se voit nettement. Le cerveau, enfoui au creux de la masse osseuse, se trouvait à l'abri des chocs lors des combats entre mâles. On voit également les pointes osseuses sur le nez.

LES TÊTES DE LA FIN DU CRÉTACÉ
Ces deux dinosaures herbivores se distinguent nettement par la forme de leur tête. Le Parasaurolophus (ci-contre, un mâle) était un hadrosaure. Avec sa longue crête incurvée et creuse, il pouvait produire des sons, à la manière d'un trombone, pour appeler une partenaire sexuelle ou pour avertir ses comparses de l'approche d'un danger. La robuste bosse osseuse du Pachycéphalosaure (page suivante) devait lui servir d'arme dans les combats.

Maïasaura

- **Saurolophus** signifie « lézard crête » et fait référence à la crête osseuse située sur le crâne de ce dinosaure.
- L'**Edmontosaure** doit son nom au lieu où il a été découvert : l'Edmonton, au Canada, une région rocheuse située près de la ville du même nom.

En général, les os fossilisés ne permettent pas de différencier un mâle d'une femelle dinosaure, mais ils donnent quelques indices. Par exemple, la crête de la femelle Parasaurolophus devait être plus petite que celle du mâle et les os de la base de la queue du Tyrannosaure mâle étaient plus longs que ceux de la femelle.

- Comment se déroulait la migration de certains dinosaures herbivores ? Réponse pages 14-15.
- Comment peut-on imaginer la couleur des dinosaures ? → pages 20-21 et 56.
- Les dinosaures avaient-ils l'odorat et la vue développés ? → pages 42-43.

GROS PLAN

LES HORDES D'HADROSAURES

Les hadrosaures vivaient en hordes immenses. Des espèces différentes pouvaient évoluer ensemble, tels les Parasaurolophus et les Lambéosaures. Les premiers se distinguaient par une longue crête incurvée (plus courte chez les femelles que chez les mâles, absente chez les petits), tandis que les seconds avaient une crête en forme de lame de hache et une épine à l'arrière (voir « Couvre-chefs » ci-contre).

Au sein de la horde, les animaux se reconnaissaient grâce à des sons : chaque espèce et chaque individu émettait donc un bruit particulier, lié à la forme de sa crête. À l'époque de la reproduction, les mâles rivalisaient de cris pour impressionner les femelles. Peut-être paradaient-ils avec leur crête multicolore, à la façon de certains oiseaux.

Jeune Parasaurolophus

Femelle Parasaurolophus

Parasaurolophus mâle (coupe de la crête)

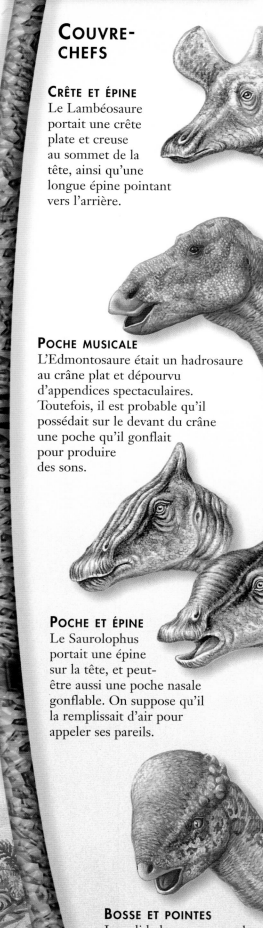

COUVRE-CHEFS

CRÊTE ET ÉPINE
Le Lambéosaure portait une crête plate et creuse au sommet de la tête, ainsi qu'une longue épine pointant vers l'arrière.

POCHE MUSICALE
L'Edmontosaure était un hadrosaure au crâne plat et dépourvu d'appendices spectaculaires. Toutefois, il est probable qu'il possédait sur le devant du crâne une poche qu'il gonflait pour produire des sons.

POCHE ET ÉPINE
Le Saurolophus portait une épine sur la tête, et peut-être aussi une poche nasale gonflable. On suppose qu'il la remplissait d'air pour appeler ses pareils.

BOSSE ET POINTES
La solide bosse osseuse du Stégocéras était cernée d'une frange de pointes, elles aussi osseuses.

Prénocéphale

Stygimoloch

Peau de Polacanthus

Massue de la queue d'un Ankylosaure

Corne de Tricératops

LA DIVISION BLINDÉE

Certains dinosaures herbivores étaient naturellement armés pour se défendre. Dotés de pointes et de cornes, bardés de plaques et de boucliers, ils parvenaient à résister aux carnivores, même si leur lourde cuirasse les empêchait de fuir rapidement.

Les stégosauridés, tels le Stégosaure ou le Kentrosaure, avaient des plaques dressées sur le dos et des pointes au bout de la queue. Véritables chars d'assaut, les ankylosauridés étaient couverts d'une armure osseuse ; leurs flancs et leurs épaules étaient hérissés de pointes. Certains, comme l'Euoplocéphale, possédaient en outre une grosse massue au bout de la queue. Les cératopsiens, tel le Tricératops, était dotés de plusieurs cornes (une au centre et une au-dessus de chaque œil), ainsi que d'une collerette osseuse. Leur tête était conçue pour l'attaque frontale.

COLLERETTE FOSSILE
Ce squelette de Tricératops met en évidence une solide collerette osseuse. Celle-ci protégeait le cou fragile de l'animal des assauts des prédateurs. Les deux cornes situées au-dessus des yeux pouvaient atteindre 1 m de long.

 GROS PLAN

UNE MINE DE FOSSILES

C'est près du village de Tendaguru, en Tanzanie, qu'a été mise au jour l'une des plus importantes concentrations de dinosaures fossiles. Les premiers ossements ont été repérés en 1907 par un ingénieur des mines allemand. Peu après, le Muséum d'histoire naturelle de Berlin a entamé des fouilles qui ont duré cinq ans. Au plus fort des recherches, pas moins de 500 personnes traquaient les os et les acheminaient jusqu'à la côte, à quatre jours de marche. Plus de 250 t de roches et de fossiles ont été ainsi exhumées, transportées et expédiées en Allemagne.

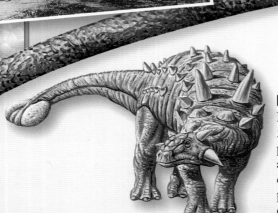

À L'ATTAQUE !
Un Tricératops furieux charge : le spectacle devait être terrifiant ! Imagine un rhinocéros en deux fois plus gros lancé à fond de train droit sur toi. Les carnivores affamés n'étaient pas les seuls à redouter ses terribles cornes. Les lésions constatées sur les crânes de certains mâles Tricératops témoignent des coups de cornes qu'ils s'assénaient entre eux lorsqu'ils se disputaient une femelle.

LA GROSSE ARTILLERIE

PLAQUES, POINTES ET MASSUES
L'Euoplocéphale mesurait 5 m de long. Couvert de plaques osseuses, il résistait aux prédateurs qui essayaient de le mordre… s'ils avaient pu s'approcher malgré les coups de massue de sa queue.

RAPIDE COMME L'ÉCLAIR
La cuirasse du Scutellosaure était hérissée de bosses appelées scutelles, qui le protégeaient des attaques des prédateurs. Ce dinosaure était si léger qu'il pouvait détaler sur ses deux pattes arrière en cas de danger.

- **Stégosaure** signifie
« lézard toit ». On croyait en effet
que ses plaques étaient non pas
dressées mais disposées à plat,
comme des tuiles sur un toit.
- **Cératopsien** (du grec *keratos*,
« corne », et *ops*, « visage ») signifie
« visage à cornes ». Avec *tri*
(« trois »), on obtient le Tricératops,
« au visage à trois cornes ».

- Les paléontologues ont
découvert dans les montagnes
Rocheuses, aux États-Unis, une
horde de Maïasauras qui devait
compter jusqu'à 10 000 animaux.
Peut-être ont-ils été surpris par un
nuage de gaz toxique émanant
d'un volcan.

- Comment le Stégosaure utilisait-il
ses plaques dorsales pour augmenter ou
réduire la température de son corps ?
Réponse page 19.
- Sais-tu comment certains dinosaures
se servaient de la massue située au bout
de leur queue ? → pages 20-21.
- Qu'est-il arrivé aux dinosaures il y a
65 millions d'années ? → pages 58-59.

À TOI DE JOUER

UN MOBILE DE DINOSAURES

❶ Choisis six grands dinosaures dans ce livre. Dessine
ou décalque leurs silhouettes sur un carton.

❷ Découpe-les et colorie-les des deux côtés. Perce
un trou en haut au milieu de chaque dinosaure.

❸ Coupe six longueurs de fil différentes.
Enfiles-en un dans le dos de chaque
dinosaure et fais un nœud. Par l'autre
bout du fil, attache trois dinosaures
sur un petit bâton, et les trois autres
sur un deuxième bâtonnet.

❹ Avec deux autres fils, rattache
ces bâtons à un troisième.
Suspends ton mobile.

TRÈS PIQUANT
Mesurant 9 m de long,
le Stégosaure utilisait
les piques de sa
queue pour
frapper et
éventrer ses
assaillants. Les plaques
osseuses de son dos
étaient plus probablement
destinées à la régulation
thermique de son
organisme qu'à sa défense.

CUIRASSÉ
Ce Nodosaure (un genre
d'ankylosauridé) mesurait près
de 6 m de long. Sa cuirasse dorsale armée de
pointes et les piques de
ses épaules le protégeaient, surtout lorsqu'il se
plaquait à terre pour couvrir son ventre vulnérable.

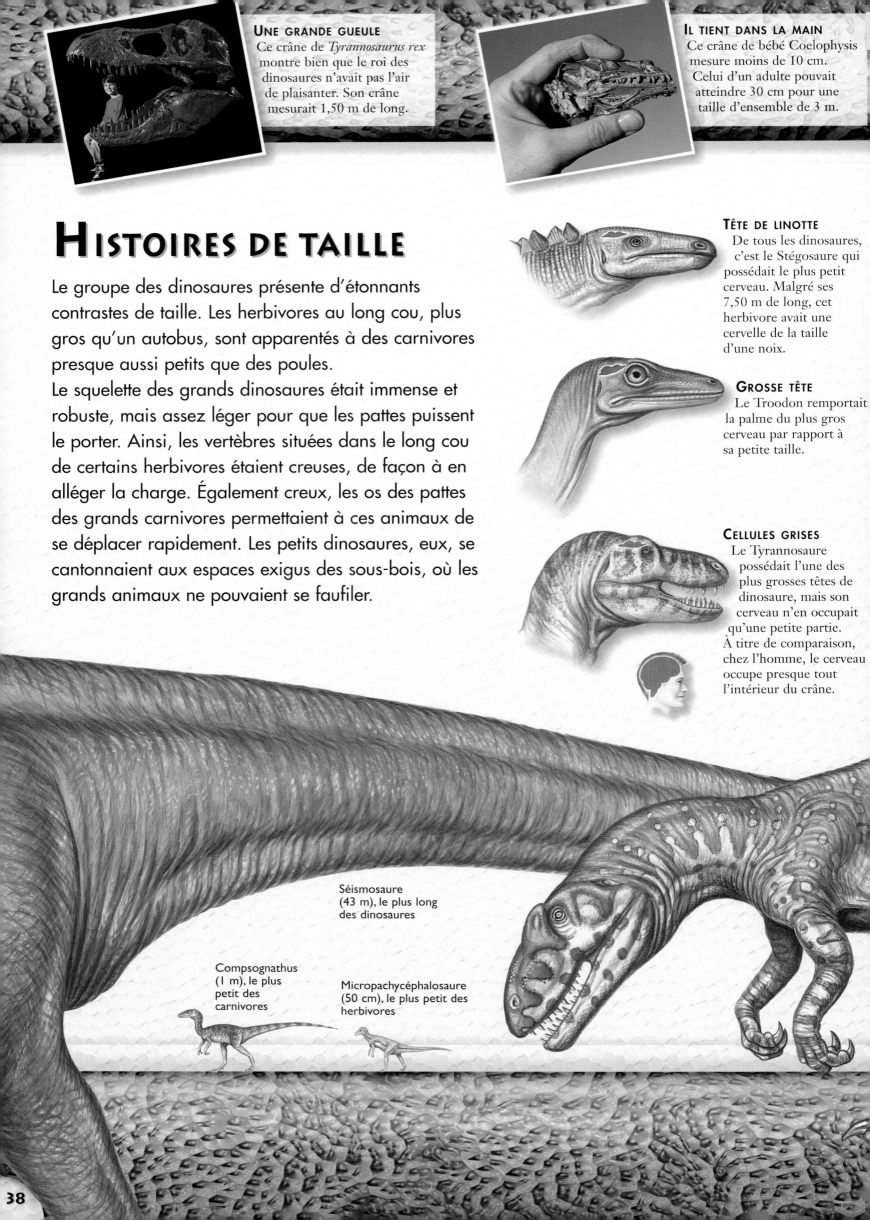

UNE GRANDE GUEULE
Ce crâne de *Tyrannosaurus rex*
montre bien que le roi des
dinosaures n'avait pas l'air
de plaisanter. Son crâne
mesurait 1,50 m de long.

IL TIENT DANS LA MAIN
Ce crâne de bébé Coelophysis
mesure moins de 10 cm.
Celui d'un adulte pouvait
atteindre 30 cm pour une
taille d'ensemble de 3 m.

HISTOIRES DE TAILLE

Le groupe des dinosaures présente d'étonnants
contrastes de taille. Les herbivores au long cou, plus
gros qu'un autobus, sont apparentés à des carnivores
presque aussi petits que des poules.
Le squelette des grands dinosaures était immense et
robuste, mais assez léger pour que les pattes puissent
le porter. Ainsi, les vertèbres situées dans le long cou
de certains herbivores étaient creuses, de façon à en
alléger la charge. Également creux, les os des pattes
des grands carnivores permettaient à ces animaux de
se déplacer rapidement. Les petits dinosaures, eux, se
cantonnaient aux espaces exigus des sous-bois, où les
grands animaux ne pouvaient se faufiler.

TÊTE DE LINOTTE
De tous les dinosaures,
c'est le Stégosaure qui
possédait le plus petit
cerveau. Malgré ses
7,50 m de long, cet
herbivore avait une
cervelle de la taille
d'une noix.

GROSSE TÊTE
Le Troodon remportait
la palme du plus gros
cerveau par rapport à
sa petite taille.

CELLULES GRISES
Le Tyrannosaure
possédait l'une des
plus grosses têtes de
dinosaure, mais son
cerveau n'en occupait
qu'une petite partie.
À titre de comparaison,
chez l'homme, le cerveau
occupe presque tout
l'intérieur du crâne.

Séismosaure
(43 m), le plus long
des dinosaures

Compsognathus
(1 m), le plus
petit des
carnivores

Micropachycéphalosaure
(50 cm), le plus petit des
herbivores

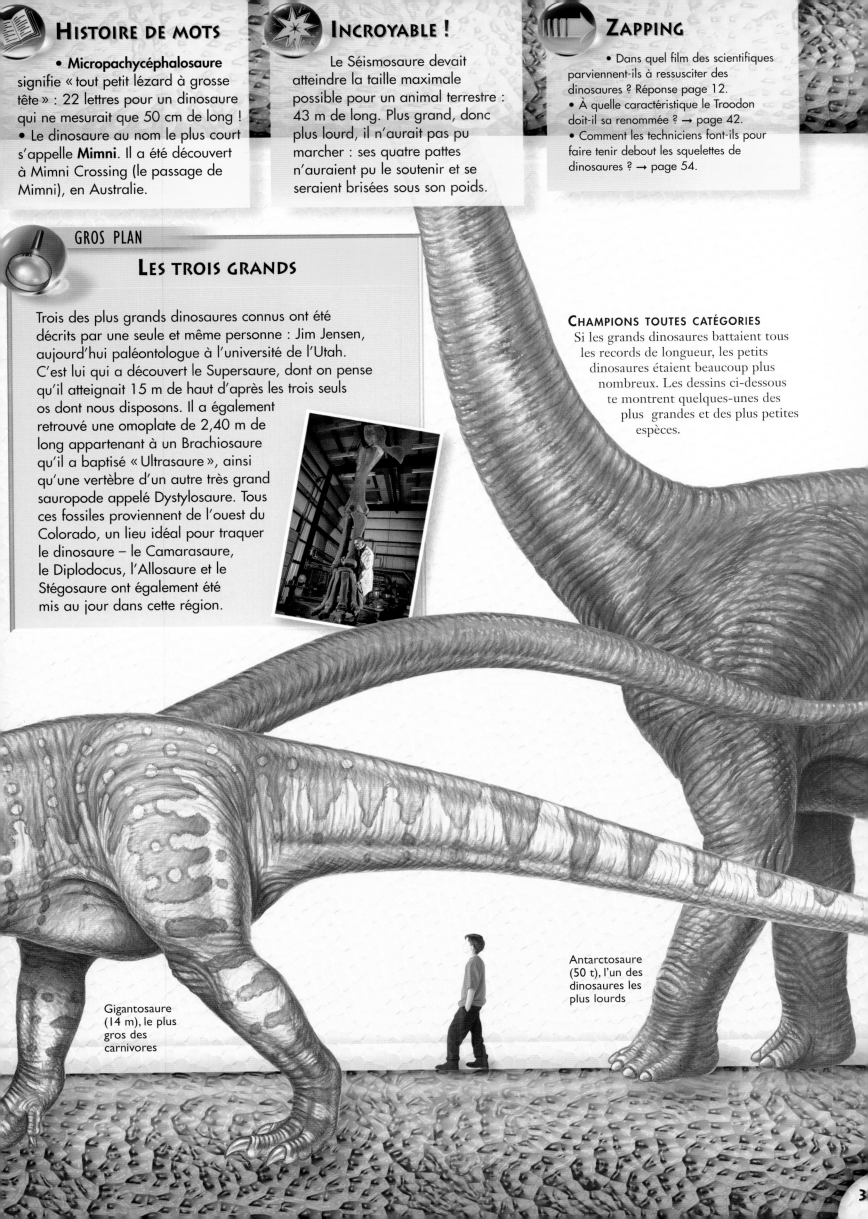

HISTOIRE DE MOTS

• **Micropachycéphalosaure** signifie « tout petit lézard à grosse tête » : 22 lettres pour un dinosaure qui ne mesurait que 50 cm de long !
• Le dinosaure au nom le plus court s'appelle **Mimni**. Il a été découvert à Mimni Crossing (le passage de Mimni), en Australie.

INCROYABLE !

Le Séismosaure devait atteindre la taille maximale possible pour un animal terrestre : 43 m de long. Plus grand, donc plus lourd, il n'aurait pas pu marcher : ses quatre pattes n'auraient pu le soutenir et se seraient brisées sous son poids.

ZAPPING

• Dans quel film des scientifiques parviennent-ils à ressusciter des dinosaures ? Réponse page 12.
• À quelle caractéristique le Troodon doit-il sa renommée ? → page 42.
• Comment les techniciens font-ils pour faire tenir debout les squelettes de dinosaures ? → page 54.

GROS PLAN

LES TROIS GRANDS

Trois des plus grands dinosaures connus ont été décrits par une seule et même personne : Jim Jensen, aujourd'hui paléontologue à l'université de l'Utah. C'est lui qui a découvert le Supersaure, dont on pense qu'il atteignait 15 m de haut d'après les trois seuls os dont nous disposons. Il a également retrouvé une omoplate de 2,40 m de long appartenant à un Brachiosaure qu'il a baptisé « Ultrasaure », ainsi qu'une vertèbre d'un autre très grand sauropode appelé Dystylosaure. Tous ces fossiles proviennent de l'ouest du Colorado, un lieu idéal pour traquer le dinosaure – le Camarasaure, le Diplodocus, l'Allosaure et le Stégosaure ont également été mis au jour dans cette région.

CHAMPIONS TOUTES CATÉGORIES

Si les grands dinosaures battaient tous les records de longueur, les petits dinosaures étaient beaucoup plus nombreux. Les dessins ci-dessous te montrent quelques-unes des plus grandes et des plus petites espèces.

Gigantosaure (14 m), le plus gros des carnivores

Antarctosaure (50 t), l'un des dinosaures les plus lourds

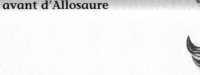

LES GRANDS PRÉDATEURS

Les grands théropodes carnivores étaient les plus féroces des dinosaures. Ils pouvaient dépasser la taille d'un petit camion, soit une dizaine de mètres de long, et chacune de leurs dents pouvait atteindre la longueur d'un couteau de boucher. Le titre de roi des dinosaures a changé au fil du temps. L'Allosaure, qui a dominé la fin du Jurassique, a dû céder la place, à l'aube du Crétacé, au Carcharodontosaure, qui fut à son tour détrôné par le Spinosaure. Au début du Crétacé, l'Amérique du Nord était le fief de l'Acrocanthosaure, qu'ont ensuite évincé l'Albertosaure et le Tyrannosaure. À la fin de l'ère des dinosaures, l'Amérique du Sud a engendré le plus grand carnivore de l'histoire de la Terre, le Gigantosaure.

Les petits carnivores, tels le Vélociraptor et Deinonychus, étaient tout aussi féroces. Rapides et rusés, ils chassaient probablement en hordes, bondissant sur les grands animaux et terrorisant les plus petits.

GRAND ET LÉGER
Ce squelette d'Allosaure est caractéristique des grands théropodes. Le crâne est léger mais robuste. Le corps solide repose sur des pattes puissantes. Certains théropodes étaient affublés de tout petits bras qui n'étaient pas d'une grande utilité. Ceux de l'Allosaure, en revanche, lui permettaient d'agripper.

 GROS PLAN

UN DINOSAURE NOMMÉ SUE

Sue est le nom donné à un squelette de *Tyrannosaurus rex* découvert en 1990 dans le Dakota, aux États-Unis. C'est le plus complet des fossiles de Tyrannosaure. Lorsqu'il a été exhumé, il a fallu déterminer à qui il appartenait : aux paléontologues qui avaient découvert le fossile ? Au cultivateur qui gérait le domaine ? Ou encore au gouvernement, qui était propriétaire des terres ? Les lois réglementant la propriété des fossiles diffèrent selon les États.

Dans ce cas précis, la loi a tranché en faveur du cultivateur. Celui-ci a vendu Sue aux enchères. Elle a été achetée pour plusieurs millions de dollars par le musée de Chicago, où, désormais, le public peut l'admirer à loisir.

TERRIBLES GRIFFES
S'il n'impressionnait pas par sa taille (3 m), le Deinonychus possédait des griffes meurtrières de 13 cm de long. Rattachées au deuxième doigt des pattes arrière, elles pivotaient de haut en bas. Pour attaquer, le Deinonychus donnait un grand coup de patte. La griffe pénétrait profondément dans la chair de l'adversaire, puis pivotait pour ouvrir une longue plaie béante.

HISTOIRE DE MOTS

Le **Tyrannosaure** (« lézard tyran ») est parfois appelé ***Tyrannosaurus rex*** (« roi des lézards tyrans », *rex* signifiant « roi » en latin). ***Tyrannosaurus*** est le nom du genre auquel appartient ce dinosaure, tandis que ***rex*** désigne l'espèce. Tous les dinosaures possèdent un nom de genre et un nom d'espèce.

INCROYABLE !

Les carnivores s'agressaient-ils mutuellement ? Probablement pas. Ils devaient savoir par expérience que les autres carnivores étaient, eux aussi, bien armés. Toutefois, ils s'attaquaient peut-être à ceux qui étaient malades ou affaiblis.

ZAPPING

• À quoi ressemblait le monde au Jurassique et au Crétacé ? Réponse pages 12-15.
• À quoi ressemblait une dent de carnivore ? → page 28.
• À quelle vitesse couraient les dinosaures ? → pages 42-43.

CRÂNES DE TUEURS

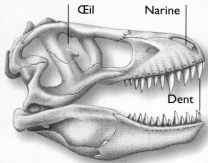

Œil   Narine

Dent

EXTRALARGE

Le Tyrannosaure devait avoir le crâne assez costaud pour immobiliser et tuer ses proies. Sa puissante mâchoire s'ouvrait en grand, assurant une morsure très efficace. Les petits os situés au-dessus et au-dessous des yeux les protégeaient des griffes des proies qui se débattaient.

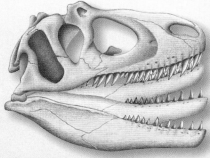

MORSURE EN ACTION

Le crâne de l'Allosaure mesurait 1 m de long. Sa tête puissante restait légère grâce aux grands vides de l'avant et de l'arrière du crâne. Ce dessin illustre le mouvement d'ouverture et de fermeture de la gueule.

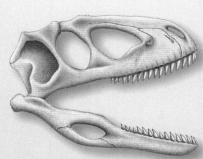

PETITES BOUCHÉES

Malgré sa petite taille, le Deinonychus était capable d'infliger une morsure féroce. Sa gueule était armée de petites dents incurvées qui attaquaient la peau et la chair comme une scie.

TÊTE BAISSÉE

Le Tyrannosaure pesait aussi lourd qu'une orque, et était deux fois plus grand. Bâti pour attaquer de front, il possédait un vaste champ de vision car ses yeux étaient situés sur les côtés. Il s'élançait à l'aide de ses puissantes pattes arrière, puis sa gueule armée de plus de cinquante crocs s'ouvrait toute grande pour se refermer sur sa proie.

LES COUREURS

Même si certains herbivores étaient rapides, c'est parmi les carnivores que l'on trouvait les meilleurs coureurs. Ces dinosaures se distinguaient souvent par une petite taille, une silhouette aérodynamique et de longues pattes postérieures.

La palme de la rapidité revenait aux ornithomimidés, comme le Struthiomimus et le Gallimimus. De la taille d'un homme, ils avaient de longues pattes et une petite tête. Ils se nourrissaient probablement d'insectes, de petits mammifères et de lézards. Pour échapper aux grands prédateurs, ils poussaient des pointes à plus de 60 km/h. Un peu moins rapides et plus petits, les troodontidés rivalisaient d'agilité pour attraper les petits animaux. Armés de nombreuses petites dents, ces chasseurs possédaient aussi une griffe en faucille qu'ils utilisaient sans doute pour éventrer leurs proies.

L'homme le plus rapide : 36,5 km/h

Le Dromiceiomimus, un dinosaure très rapide : 50 km/h

Le Struthiomimus, le dinosaure le plus rapide du monde : 60 km/h

L'autruche, l'oiseau coureur le plus rapide du monde : 80 km/h

LES CHAMPIONS DU MONDE
Au sprint, l'homme se serait rapidement laissé distancer par un Struthiomimus, qui pouvait pousser des pointes à 60 km/h, soit près de deux fois plus que l'homme le plus rapide du monde. Seuls de rares animaux contemporains, comme l'autruche ou le guépard, auraient pu rivaliser avec un ornithomimidé.

LES CINQ SENS

Moule d'un cerveau d'Iguanodon

LE GOÛT ET L'ODORAT
La partie antérieure du cerveau de l'Iguanodon – région qui assumait les fonctions du goût et de l'odorat – était bien développée. Doté d'une bonne perception des odeurs et des saveurs, cet herbivore pouvait détecter l'odeur de plantes situées à distance ou de prédateurs dissimulés.

LA VUE
Il n'est pas facile de deviner ce que les dinosaures étaient capables de voir, mais certains squelettes révèle quelques indices. Ainsi, le Troodor avait de grandes orbites adaptées à de grands yeux, et une vaste partie de son cerveau était dédiée à la vue. Il est donc probable qu'il était doté d'une vue perçante, peut-être même voyait-il dans l'obscurité.

• En grec, *mimos* signifie « ressembler » et *ornitho* « oiseau ». **Ornithomimidé** signifie « qui ressemble à un oiseau ». De même, le **Struthiomimus** (du latin *struthio*, « autruche ») ressemble à une autruche et **Gallimimus** (du latin *gallus*, « poule ») à une poule.

Selon les scientifiques, les grands prédateurs n'étaient pas très rapides. Lancé à 15 ou 20 km/h, un Tyrannosaure se serait fracassé le crâne et la cage thoracique en tombant. Aussi ces carnivores se contentaient-ils probablement de marcher rapidement.

• Pourquoi les dinosaures étaient-ils plus mobiles que la plupart des autres animaux du Secondaire ? Réponse pages 16-17.
• Quelle était la technique de chasse des Vélociraptors ? → page 29.
• Comment une empreinte d'animal ou de plante devient-elle un fossile dans la pierre ? → pages 48-49.

IMBATTABLE GALLIMIMUS

Quand l'agile Gallimimus détalait, le pataud Albertosaure n'avait aucune chance de le rattraper. Le Gallimimus pouvait filer à une vitesse proche des 50 km/h. En outre, il était capable de changer brusquement de direction, esquivant son poursuivant et slalomant pour le semer. Avec ses 2 m de haut et ses 5 m de long, le Gallimimus était le plus grand ornithomimidé, mais son squelette mince le faisait paraître beaucoup plus petit qu'il ne l'était.

GROS PLAN

SUIVEZ CES TRACES…

Les empreintes fossilisées en disent long sur les animaux disparus. Outre les dimensions du pied et des foulées, elles indiquent la vitesse à laquelle l'animal se déplaçait. Plus il courait vite, plus les pas étaient distants. Le paléontologue américain James Farlow est un spécialiste des empreintes de dinosaures. En comparant les traces d'oiseaux actuels, tels que les émeus, avec celles d'un sauropode retrouvé au Texas, il a pu évaluer la vitesse à laquelle ce dernier se déplaçait : 3 km/h, soit un rythme lent, ce qui n'est pas étonnant pour un quadrupède de 20 tonnes.

L'OUÏE

La plupart des hadrosaures, comme le Saurolophus, possédaient des appendices spéciaux permettant de produire des sons. On peut donc penser qu'ils étaient également aptes à percevoir les sons qu'ils émettaient.

LE TOUCHER

Le toucher demeure le sens le plus difficile à évaluer chez une race éteinte. Toutefois, avec sa peau épaisse et squameuse, le dinosaure devait posséder un sens du toucher très éloigné du nôtre.

L'ÉNIGME DES DINOSAURES

C'est sans doute parce qu'ils ont disparu subitement il y a des millions d'années que les dinosaures représentent un tel mystère pour l'homme. Pourquoi ne pas suivre la démarche des scientifiques qui, en remontant le temps, s'évertuent à percer l'énigme de leur extinction ?

Tout commence par les fossiles témoins que les dinosaures nous ont légués. Après un aperçu sur quelques célèbres découvertes, tu iras sur le terrain visiter un site de fouilles avant de te rendre dans un laboratoire assister à la reconstitution d'un squelette. Le voyage s'achève avec le grand mystère de l'extinction de tous les dinosaures, alors que certains de leurs cousins sont encore vivants.

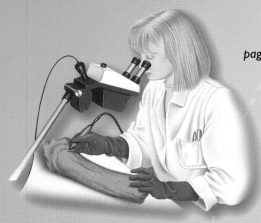

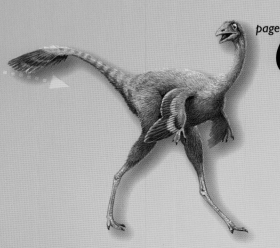

Fossile de raphidioptère

Squelette de poisson fossilisé

FOSSILES TÉMOINS

Tout ce que nous savons des dinosaures nous vient de l'étude des fossiles. Or, à peine une créature sur mille a laissé des traces ! C'est qu'il faut des conditions bien particulières pour qu'un animal se fossilise. Tout d'abord, il doit mourir près d'un lac ou d'un cours d'eau. Puis il faut que son cadavre soit entraîné au fond de l'eau, où il sera enseveli sous la vase et le sable pour être finalement préservé sous forme fossile. Ce sont en général les parties solides, os et dents, qui sont fossilisées, car les organes et la chair se décomposent. Les paléontologues découvrent parfois des empreintes de pas, des œufs ou des excréments fossilisés. On retrouve des fossiles dans le grès, le calcaire, le schiste et l'argile. Les régions les plus riches se trouvent dans le centre des États-Unis et du Canada, en Amérique du Sud, en Chine, en Mongolie et en Afrique.

GROS PLAN
UN PARC DE DINOSAURES

Situé dans les *badlands* de l'Alberta, au Canada, le Dinosaur Provincial Park renferme de nombreux fossiles. En effet, en creusant de profondes gorges dans les prairies, un cours d'eau a révélé la dernière demeure d'innombrables dinosaures du Crétacé.

Les circuits de visite sillonnent les ravins modelés par l'érosion, dont les parois sont incrustées de fossiles de dinosaures. Le parc renferme aussi d'étranges rochers sculptés par les intempéries. Le musée du site expose des reconstitutions du monde de la fin du Crétacé, ainsi que de spectaculaires squelettes fossilisés découverts dans le parc.

COMMENT SE FORME UN FOSSILE ?

DANS L'EAU
La carcasse du dinosaure est entraînée au fond de l'eau. La chair se décompose. Il ne reste que le squelette.

ENSEVELI
Des couches de sable ou de vase s'accumulent sur les ossements, qui ne peuvent plus se décomposer.

HISTOIRE DE MOTS

• La **géologie** (de *geo*, « terre ») est l'étude de la Terre.
• **Fossile** vient du latin *fossilis*, qui signifie « tiré de la terre ».
• Un **gastrolithe** (du grec *gastro*, « estomac », et *lithos*, « pierre ») est une « pierre d'estomac ».

INCROYABLE !

De tous les végétaux et animaux disparus, seule une minorité a été préservée sous forme fossile. Nous ne saurons donc jamais rien sur la plupart des plantes et des animaux qui ont peuplé jadis la planète.

ZAPPING

• Quels dinosaures vivaient dans la région qui correspond actuellement au désert de Gobi ? Réponse pages 15 et 50.
• Les pliosaures étaient-il des dinosaures ? → page 24.
• Combien mesurait le dinosaure le plus long ? Et le plus petit ? → pages 52-53.

ÉRIC, LE FOSSILE D'OPALE

Éric est un petit pliosaure (un reptile marin) dont le squelette s'est conservé sous forme d'opale, une pierre précieuse. De temps à autre, il arrive que certains minéraux précieux remplacent les os d'un animal. L'estomac d'Éric renfermait des pierres et les arêtes d'un petit poisson, son dernier repas.

LA GRANDE CHASSE AUX DINOSAURES

Ces deux paléontologues sont à la recherche de fossiles dans l'un des principaux gisements de dinosaures au monde : le désert de Gobi, en Mongolie et en Chine. Il existe probablement d'innombrables squelettes fossilisés ensevelis aux quatre coins de la planète, mais ce n'est que lorsque le vent ou la pluie en dévoile une partie que l'on peut savoir où ils se trouvent. Pour repérer les fossiles de dinosaures, il faut beaucoup de savoir-faire, de passion et de chance.

À TOI DE JOUER

COMMENT FABRIQUER UN FOSSILE ?

Pour fabriquer un fossile, il te faut une assiette ou une boîte peu profonde, de la pâte à modeler, du plâtre de moulage, de l'eau, une cuillère et un coquillage, qui sera ton fossile.

❶ Remplis la boîte ou l'assiette d'une couche de pâte à modeler bien lisse.

❷ Dispose le coquillage sur la pâte à modeler. Appuie de façon à laisser une empreinte, puis enlève-le.

❸ Mélange 6 tasses de plâtre avec 4 tasses d'eau. Verse sur la pâte à modeler et attends que le mélange durcisse.

❹ Détache le plâtre de la pâte à modeler. Le plâtre représente les restes du coquillage, et la pâte à modeler son empreinte sur la pierre.

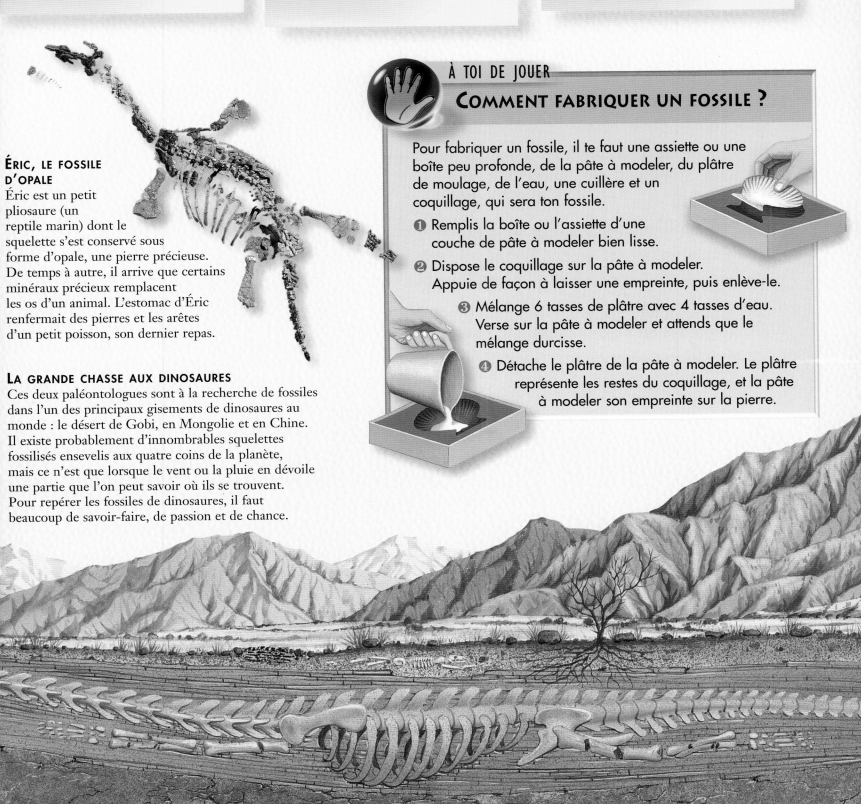

DE L'OS AU FOSSILE

Peu à peu, les sédiments se transforment en roche. Les os sont remplacés par des minéraux, ce qui forme des fossiles.

RETOUR À LA SURFACE

Les mouvements de la Terre soulèvent la roche et ramènent les fossiles près de la surface. L'érosion les met au jour.

4

SUR LA TRACE DES FOSSILES

Les fossiles nous renseignent sur la morphologie et le mode de vie des dinosaures. Les os fracturés sont autant d'informations sur leurs blessures. Les marques de morsure sur les os d'un dinosaure révèlent l'identité des prédateurs ou des charognards qui s'attaquaient à lui. Des dents dispersées autour d'un squelette en disent long sur la nature des prédateurs qui les perdaient en mastiquant la chair.

Les dinosaures n'ont pas laissé que des ossements. Les excréments fossilisés nous renseignent sur leur alimentation. Les traces de pas laissées dans la roche permettent de déterminer leur allure et indiquent s'ils vivaient en hordes ou plutôt seuls. Les empreintes d'épiderme attestent qu'ils avaient la peau dure. Nids et œufs prouvent qu'ils s'occupaient de leurs petits et se regroupaient pour les élever.

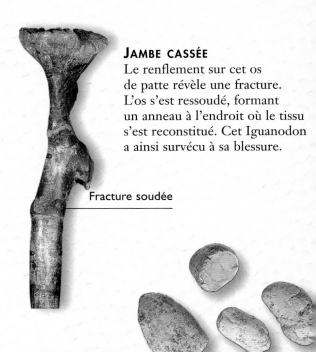

JAMBE CASSÉE
Le renflement sur cet os de patte révèle une fracture. L'os s'est ressoudé, formant un anneau à l'endroit où le tissu s'est reconstitué. Cet Iguanodon a ainsi survécu à sa blessure.

Fracture soudée

CROTTES DE DINOSAURES
Certains excréments de dinosaures se sont transformés en fossiles durs comme de la pierre, appelés coprolithes. Il en existe de toutes les formes de toutes les tailles. Certains contiennent des fragme de graines, de pommes de pin ou de tiges végétales, voire des os broyés. Les scientifiques étudient les coprolithes pour en déduire ce que mangeaient les dinosaures, et comment ils le mangeaient.

GROS PLAN
SAUVE QUI PEUT !

En Australie, les paléontologues ont découvert des centaines d'empreintes de dinosaures fossilisées évoquant un moment de panique. En étudiant ces traces, ils ont reconstitué la scène qui a eu lieu voici des millions d'années. Des dizaines de petits carnivores et herbivores étaient rassemblés autour d'un point d'eau. Tout à coup, un grand carnivore a surgi. Les petits dinosaures se sont alors tous enfuis dans la même direction, en laissant leurs empreintes dans la vase. Les traces du prédateur révèlent qu'il ne se déplaçait pas très vite. Peut-être voulait-il simplement se désaltérer et n'avait-il aucunement l'intention de s'attaquer à plus petit que lui.

IMPRIMÉ DANS LA VASE
Quelques instants auparavant, ces petits herbivores et carnivores se désaltéraient tranquillement au bord de la mare. Dès qu'ils ont senti un prédateur approcher, ils ont détalé sans demander leur reste, piétinant la vase. La rive du point d'eau est restée criblée de traces désordonnées ; or c'est l'endroit idéal pour que les empreintes se fossilisent.

Empreintes de... Ankylosauridé

Prosauropode

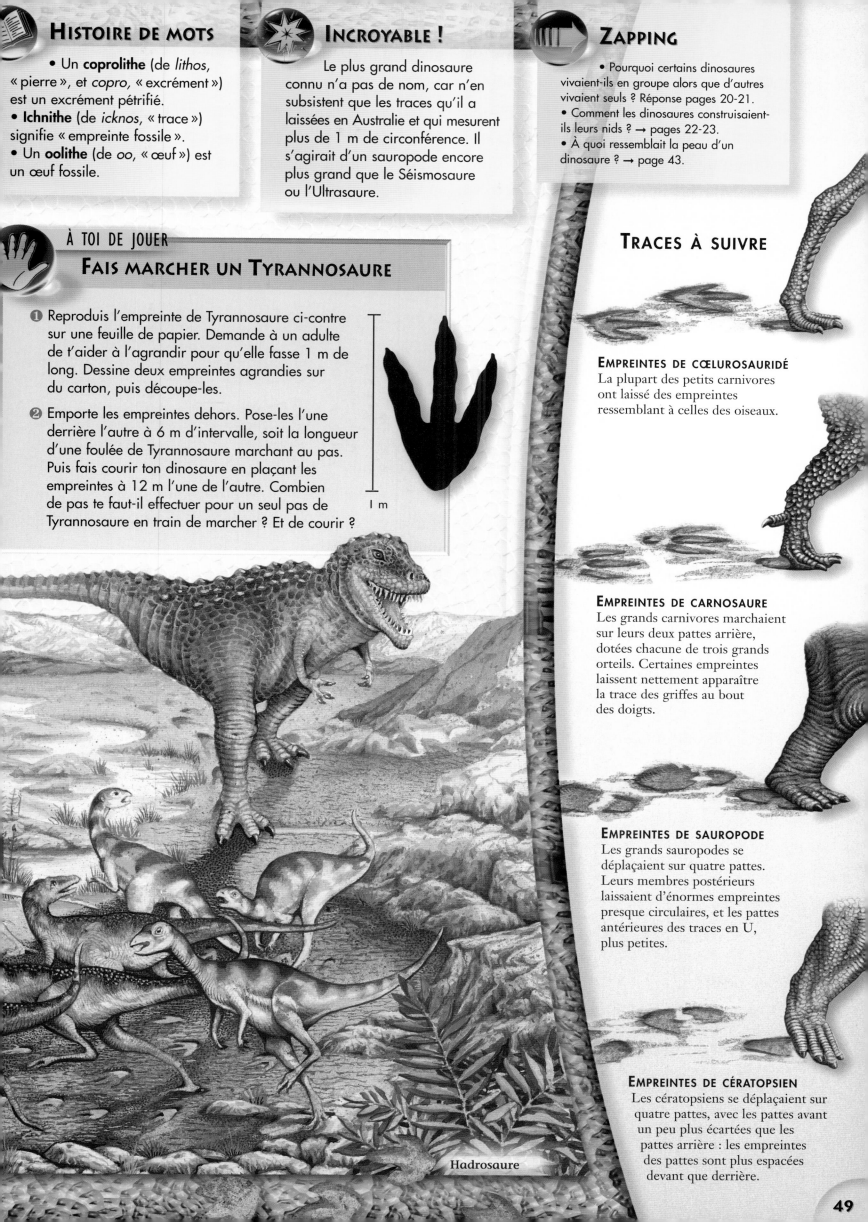

HISTOIRE DE MOTS

- Un **coprolithe** (de *lithos*, « pierre », et *copro*, « excrément ») est un excrément pétrifié.
- **Ichnithe** (de *icknos*, « trace ») signifie « empreinte fossile ».
- Un **oolithe** (de *oo*, « œuf ») est un œuf fossile.

INCROYABLE !

Le plus grand dinosaure connu n'a pas de nom, car n'en subsistent que les traces qu'il a laissées en Australie et qui mesurent plus de 1 m de circonférence. Il s'agirait d'un sauropode encore plus grand que le Séismosaure ou l'Ultrasaure.

ZAPPING

- Pourquoi certains dinosaures vivaient-ils en groupe alors que d'autres vivaient seuls ? Réponse pages 20-21.
- Comment les dinosaures construisaient-ils leurs nids ? → pages 22-23.
- À quoi ressemblait la peau d'un dinosaure ? → page 43.

À TOI DE JOUER

FAIS MARCHER UN TYRANNOSAURE

❶ Reproduis l'empreinte de Tyrannosaure ci-contre sur une feuille de papier. Demande à un adulte de t'aider à l'agrandir pour qu'elle fasse 1 m de long. Dessine deux empreintes agrandies sur du carton, puis découpe-les.

❷ Emporte les empreintes dehors. Pose-les l'une derrière l'autre à 6 m d'intervalle, soit la longueur d'une foulée de Tyrannosaure marchant au pas. Puis fais courir ton dinosaure en plaçant les empreintes à 12 m l'une de l'autre. Combien de pas te faut-il effectuer pour un seul pas de Tyrannosaure en train de marcher ? Et de courir ?

1 m

Hadrosaure

TRACES À SUIVRE

EMPREINTES DE CŒLUROSAURIDÉ
La plupart des petits carnivores ont laissé des empreintes ressemblant à celles des oiseaux.

EMPREINTES DE CARNOSAURE
Les grands carnivores marchaient sur leurs deux pattes arrière, dotées chacune de trois grands orteils. Certaines empreintes laissent nettement apparaître la trace des griffes au bout des doigts.

EMPREINTES DE SAUROPODE
Les grands sauropodes se déplaçaient sur quatre pattes. Leurs membres postérieurs laissaient d'énormes empreintes presque circulaires, et les pattes antérieures des traces en U, plus petites.

EMPREINTES DE CÉRATOPSIEN
Les cératopsiens se déplaçaient sur quatre pattes, avec les pattes avant un peu plus écartées que les pattes arrière : les empreintes des pattes sont plus espacées devant que derrière.

Os de patte arrière   Os de patte avant

LES DÉCOUVERTES

Pendant longtemps, l'homme a découvert des os immenses sans pouvoir déterminer leur provenance. Qu'il ait pu exister des animaux aussi grands, cela dépassait l'entendement ! Puis, dans les années 1820, Gideon Mantell a compris que les dents et les os fossiles qu'il avait réunis avaient appartenu à un géant d'une race disparue. Persuadé d'avoir affaire à un reptile, il l'a baptisé Iguanodon. Il a fallu attendre 1858 pour exhumer un squelette presque complet – un hadrosaure retrouvé aux États-Unis. Puis, en 1878, 24 squelettes d'Iguanodons ont été mis au jour en Belgique, dans une mine de charbon. Les paléontologues pouvaient enfin étudier plusieurs dinosaures entiers.
À la fin du XIXᵉ siècle, la découverte de véritables gisements de fossiles aux États-Unis déclencha une « ruée vers l'os ». Des expéditions en Afrique et en Asie révélèrent des trésors fossiles. Aujourd'hui, la chasse aux dinosaures continue aux quatre coins du monde.

APPELONS-LES DINOSAURES

Sir Richard Owen, grand paléontologue anglais, est surnommé le « père des dinosaures ». En 1842, il a établi un lien entre plusieurs grands reptiles fossiles qui semblaient appartenir au même groupe. Il les a baptisés *Dinosauria*. Nous lui devons la description de nombreux dinosaures, dont le Cétiosaure, un sauropode, et le Scélidosaure, un ankylosauridé.

AU FOND DES MARAIS

Des dizaines d'Iguanodons sont morts dans un marais : il s'agit peut-être d'un cimetière d'Iguanodons, comme il existe aujourd'hui des cimetières d'éléphants en Afrique. Peu à peu, le marais s'est transformé en houillère, et les squelettes des Iguanodons sont devenus fossiles. Des millions d'années plus tard, 24 d'entre eux ont été extraits d'une mine de charbon en Belgique. Leur étude, et celle des fossiles environnants, a permis de tirer de nombreuses conclusions sur ce dinosaure et sur son environnement.

GROS PLAN

RETOUR AU DÉSERT DE GOBI

Les paléontologues explorent le désert de Gobi (Mongolie et Chine) depuis les années 1920. Dans les années 1980, une expédition organisée par des Chinois et des Canadiens s'est avérée très fructueuse. Bravant la chaleur et les tempêtes de sable, ces chercheurs ont été récompensés par d'extraordinaires découvertes : le plus grand dinosaure jamais retrouvé en Asie, un sauropode baptisé Mamenchisaure, et cinq types d'œufs différents.

Ils ont même exhumé les squelettes de sept jeunes Pinacosaures. Ceux-ci s'étaient blottis les uns contre les autres pour se protéger de la tempête de sable qui les a ensevelis vivants voici 80 millions d'années.

Os de la tête et du cou   Dent fossile

📖 HISTOIRE DE MOTS

- *Paleo* signifie « ancien » et *logos* signifie « science ». La **paléontologie** est la « science du passé ».
- La botanique étudie les plantes. La **paléobotanique** est donc la « science des plantes du passé ».
- La zoologie étudie les animaux. Par conséquent, la **paléozoologie** étudie les animaux du passé.

✴ INCROYABLE !

- Dans les années 1600, un scientifique anglais prit un os de dinosaure pour celui d'un géant humain.
- Au début des années 1800, certains Américains étaient convaincus que les empreintes de dinosaures appartenaient à des nuées d'oiseaux géants.

▥ ZAPPING

- Quels sont les meilleurs terrains pour chercher des fossiles de dinosaures ? Réponse page 8.
- Quels furent les résultats des premières expéditions menées dans le désert de Gobi ? → page 15.
- Comment a-t-on rétabli la vérité sur l'Iguanodon ? → pages 56-57.

UN MYSTÈRE ÉCLAIRCI

GIDEON MANTELL

Ce médecin de campagne anglais était passionné de paléontologie. Il a consacré une grande partie de sa vie à l'étude des dinosaures. Sa grande découverte demeure l'Iguanodon, qu'il a décrit en détail.

L'IGUANODON : UN MANUEL

Il a fallu du temps aux scientifiques pour comprendre que la longue pointe fossile de l'Iguanodon n'était autre que son « pouce », qu'il utilisait pour se défendre. Ce n'est que l'une des particularités des « mains » de l'Iguanodon. Ses trois doigts centraux étaient dotés de griffes en sabot capables de supporter son poids lorsqu'il marchait à quatre pattes. Son cinquième doigt, flexible, servait à la préhension.

UNE DENT MYSTÉRIEUSE

En étudiant les fossiles incrustés dans une roche retrouvée par sa femme, Mantell conclut qu'il s'agissait de dents. Persuadé qu'elles ressemblaient aux dents de l'iguane moderne, mais en plus grand, Mantell baptisa son premier dinosaure Iguanodon, en 1825.

UN PAVÉ D'OSSEMENTS

En 1834, les amis de Mantell lui apportèrent la roche représentée ci-contre. Après avoir étudié les ossements fossilisés qu'elle renfermait, il s'aperçut que ces derniers appartenaient au même animal que la dent fossile qu'il possédait déjà.

PREMIER IGUANODON

Après avoir examiné de près les os et les dents dont il disposait, Mantell réalisa cette esquisse. C'est ainsi qu'il imaginait l'Iguanodon.

Os de la queue

51

LA CHASSE AUX DINOSAURES

Les paléontologues explorent des régions où des fossiles ont déjà été découverts ; c'est le cas des *badlands* aux États-Unis, où l'érosion ne cesse de mettre au jour de nouveaux squelettes. Ils peuvent aussi travailler dans des contrées inexplorées, où la nature et l'âge de la roche laissent supposer la présence de fossiles. Ils arpentent le terrain à l'affût du moindre indice, tels de petits éclats d'os, qui trahirait la présence d'ossements enfouis dans les parages.

S'ils sont très lourds, les fossiles de dinosaures sont aussi très fragiles. Les paléontologues doivent les dégager patiemment à l'aide de pelles, de pics, de truelles et de pinceaux. Puis ils les consolident au moyen de produits chimiques et les enveloppent dans du plâtre et de la toile. Ils peuvent alors les charger sur des camions pour les acheminer jusqu'au laboratoire.

CHANTIER DE FOUILLES

Dans les *badlands* d'Amérique du Nord (États du Wyoming, du Montana et du Dakota du Sud), des paléontologues mettent au jour une couche d'ossements du Crétacé. Au premier plan, certains dégagent le squelette presque complet d'un hadrosaure, tandis que d'autres en réalisent un croquis avant de gainer les os de plâtre, un par un, pour les transporter jusqu'au camion. À l'arrière-plan, une autre équipe exhume le squelette d'un cératopsien.

 GROS PLAN

LA RUÉE VERS LES DINOSAURES

À la fin des années 1800, l'Ouest américain fut le théâtre d'une âpre course aux dinosaures entre deux paléontologues célèbres : Marsh (debout au milieu sur la photo) et Cope. Aidés de leurs ouvriers, ils passèrent la région au crible pendant près de trente ans, exhumant de nombreux ossements. Amis à l'origine, ils devinrent des adversaires acharnés. Ils n'hésitaient pas à acheter les ouvriers du site rival pour faire main basse sur les os de l'ennemi. En tout, Marsh et Cope ont découvert et baptisé 130 nouvelles espèces. Cope en a identifié un plus grand nombre, mais les descriptions de Marsh étaient plus précises.

DU SITE AU MUSÉE

DÉGAGER

Avant tout, les paléontologues éliminent la roche et la terre recouvrant le fossile. Puis ils dégagent une partie des os en creusant une tranchée tout autour. La pierre est parfois si dure qu'il faut une foreuse pour en venir à bout.

DESSINER

Avant de déplacer quoi que ce soit, les paléontologues réalisent un schéma détaillé du site, pour savoir comment les os sont disposés les uns par rapport aux autres. Ce croquis est important pour guider le paléontologue dans son travail de laboratoire.

HISTOIRE DE MOTS

La **taphonomie** étudie l'évolution de l'animal entre l'instant de sa mort et celui de sa découverte sous forme fossile. Ce mot vient du grec *taphe*, « tombeau », et *nemo*, « disposition ». L'étude des os fossilisés et des roches avoisinantes renseigne sur l'animal et sur son environnement.

INCROYABLE !

Mort et fossilisé, un animal pèse en général plus que lorsqu'il était vivant, car les minéraux qui remplacent les os sont souvent très lourds. Certains squelettes fossilisés pèsent plusieurs tonnes.

ZAPPING

• À quoi ressemblait un hadrosaure ? Réponse page 34.
• Quelle grande opération de fouilles a mobilisé plus de 500 personnes sur un seul site ? → page 36.
• Comment se forment les fossiles de dinosaures ? → pages 46-47.

À TOI DE JOUER

À LA CHASSE AUX FOSSILES

D'abord, il te faut savoir où chercher. Renseigne-toi dans les musées de la région pour localiser le site le plus proche. Équipe-toi d'un marteau, d'un burin, de vieux papier journal et d'un masque ou de grosses lunettes pour te protéger les yeux.

En général, les fossiles se trouvent entre deux strates rocheuses. Procède à quelques essais afin de trouver le meilleur angle pour casser la pierre et dégager un éventuel fossile. Avec le burin, enlève le plus de roche possible autour du fossile sans l'abîmer, puis enveloppe-le dans du papier journal pour le transport. Tu découvriras certainement des fossiles ordinaires, tels que des coquillages. Si tu trouves un fossile rare, signale-le au musée de ta région – et laisse la place aux spécialistes !

EMBALLER

Un fossile a beau être plus dur que la pierre, il est si vieux qu'il s'abîme vite. Les paléontologues le recouvrent de plâtre de moulage et de toile avant de l'extraire de la roche, pour le protéger pendant le transport.

DÉPLACER

Enfin, les paléontologues creusent des trous sous le fossile pour le sortir du sol. Dans sa gaine de plâtre, le bloc fossile-roche est soulevé et déposé dans un camion. Pour les os volumineux, cette opération exige un effort de groupe, voire l'intervention de leviers, de treuils et de chaînes. Une fois calé, le fossile peut être évacué.

Bassin

Côte

Fémur

ASSEMBLER UN SQUELETTE

Au laboratoire commence un long processus de nettoyage et d'examen du fossile afin d'assembler le squelette et d'identifier le dinosaure.

Les techniciens découpent le plâtre et enlèvent le papier qui entoure le fossile. Après l'avoir brossé pour ôter la poussière et les gravillons, ils dégagent les fragments de roche qui adhèrent à l'os à l'aide de burins, de scies, de fraises, de petits outils abrasifs à air comprimé, etc. Puis ils soudent les parties cassées et les renforcent à l'aide de colles spéciales.

Lorsque tous les os sont prêts, l'assemblage peut commencer. Pendant sa réalisation, les paléontologues guettent le moindre indice qui pourrait leur permettre d'identifier le spécimen. Parfois, ils s'aperçoivent qu'ils ont affaire à une espèce encore inconnue. Dans ce cas, ils lui donnent un nom et publient une description complète du petit dernier de la famille des dinosaures.

DINOSAURES EN VITRINE

Un technicien apporte la touche finale à un squelette de carnosaure en soudant l'échafaudage de métal qui le soutient. L'animal sera ensuite exposé dans un musée. Les fossiles sont très lourds. Il faut donc une solide structure de métal fabriquée sur mesure pour les supporter. Il est parfois nécessaire de suspendre des fils métalliques au plafond pour tenir les cous, les queues ou les têtes. Ces squelettes sont si fragiles que l'on n'expose parfois que d'habiles répliques en fibre de verre.

Clavicule

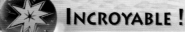

Les techniciens qui traitent les fossiles peuvent être **préparateurs** (ils nettoient et restaurent) ou **conservateurs** (ils consolident et empêchent la décomposition). Le plus souvent, ils sont les deux à la fois, mais les grands musées emploient en général des spécialistes de chaque domaine.

En regardant marcher une autruche, les spécialistes peuvent se faire une idée assez précise du mode de locomotion des dinosaures carnivores. Ils étudient également le comportement de reproduction et de nidification des oiseaux actuels pour imaginer celui des dinosaures.

• Comment est constitué le squelette de 27 m de long du Barosaure ? Réponse pages 32-33.
• Pourquoi est-il si exceptionnel de retrouver des fossiles de dinosaures ? → pages 46-47.
• À quoi ressemblait l'une des premières reconstitutions de dinosaure ? → page 51.

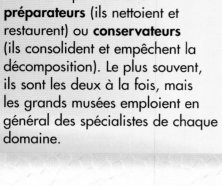

PUZZLE

Chaque os fossilisé est une pièce d'un puzzle géant dont la reconstitution exige de longues heures de patience. Les paléontologues ne disposent souvent que de quelques fragments. Ils doivent donc imaginer la forme de toutes les pièces manquantes et s'inspirer d'autres fossiles pour procéder à l'assemblage.

GROS PLAN

LES DINOSAURES AU MUSÉE

Les grands muséums d'histoire naturelle possèdent en général de belles collections de squelettes de dinosaures. Au Smithsonian de Washington (États-Unis), par exemple, on peut admirer un squelette de Diplodocus de 26 m de long, à côté duquel parade un Allosaure carnivore. Du balcon, les visiteurs ont une vue plongeante sur les fossiles, et peuvent aussi observer les squelettes fixés en hauteur. Des scènes illustrent ce que fut la vie au Jurassique, au Crétacé et à la veille de l'extinction des dinosaures.
À Paris, le Muséum national d'histoire naturelle présente de nombreux squelettes tels que ceux d'un Diplodocus, d'un Iguanodon ou d'un Pyroraptor, une espèce de dromaeosauridé récemment découverte.

LE NETTOYAGE D'UN FOSSILE

SCIES ET BURINS
Les techniciens passent parfois des mois à dégager un fossile de la roche qui l'entoure. Ils commencent par ôter le plus gros à l'aide de marteaux et de burins de précision, ou encore de scies à air comprimé.

SABLE ET ACIDE
Si le fossile est plus dur que le sable, le technicien peut utiliser un petit jet de sable. La projection de minuscules particules élimine la roche. Il peut aussi plonger le fossile dans un bain d'acide pour dissoudre la roche.

À TOUTE ÉPREUVE
Le fossile doit être consolidé pour se conserver très longtemps. Les techniciens appliquent des colles et des matières plastiques spéciales pour qu'il ne s'effrite pas.

PEAUFINAGE
Pour détecter les dernières particules de roche ou pour travailler sur un fossile très délicat, les techniciens utilisent un microscope. Ils ont parfois recours à un outil de gravure à air comprimé, à un scalpel ou à une fraise de dentiste – voire à une épingle – pour les finitions.

Vertèbre cervicale

Einiosaure

Mononykus

Retour à la vie

Les paléontologues étudient attentivement le squelette monté afin de s'assurer que les os sont bien assemblés. Ils examinent les articulations pour savoir comment l'animal bougeait, puis ils disposent les organes internes (cerveau, estomac, cœur, poumon, etc.). Pour cela, ils s'inspirent de l'anatomie d'animaux d'aujourd'hui, les crocodiles et les oiseaux, que l'on considère comme des parents des dinosaures. Ils superposent ensuite des couches musculaires pour donner une forme au corps, puis appliquent une peau dessus.

Si des empreintes de peau peuvent donner une idée de sa texture, aucun indice ne peut aider à en déterminer la couleur. Pour faire revivre un dinosaure disparu depuis des millions d'années, les paléontologues doivent bien connaître les dinosaures et les animaux actuels. Mais il leur faut aussi faire preuve d'une bonne capacité de déduction et d'imagination.

GROS PLAN

DESSINS DE DINOSAURES

Lorsqu'un squelette de dinosaure est assemblé, un illustrateur le dessine de façon très précise pour qu'il puisse être montré à un grand nombre de personnes.

L'illustrateur travaille en collaboration avec un paléontologue. Il observe les fossiles et prend note de toutes les informations concernant l'animal et son environnement.

Il réalise alors ses premiers croquis, puis consulte le paléontologue pour affiner son dessin et le mettre en couleurs.

LES OS

Le squelette complet est reconstitué. Les os brisés sont ressoudés et les os manquants sont remplacés par des pièces en fibre de verre. Il manquait quelques os de la queue pour reconstruire ce Gigantosaure, mais les paléontologues ont pu modeler les vertèbres manquantes en s'inspirant d'un proche parent, l'Allosaure.

PLUS VRAIS QUE NATURE

La robotique moderne permet d'animer de remarquables reconstitutions de dinosaures grandeur nature. Ces robots évoluent comme de vrais dinosaures, et en plus ils rugissent. Nous ne savons pas quels sons produisaient les dinosaures, mais rien ne nous empêche de les imaginer !

FORME D'IGUANODON

COMME UN IGUANE

À l'époque où cette sculpture fut réalisée, en 1853, les scientifiques pensaient que l'Iguanodon ressemblait à un iguane géant portant une pointe sur le museau.

COMME UN DRAGON

À la fin du XIXᵉ siècle, des squelettes complets montrèrent que l'Iguanodon se déplaçait sur deux pattes et que la fameuse pointe du nez était en réalité une griffe du pouce. On le représentait toutefois comme un dragon.

HISTOIRE DE MOTS

Un petit théropode doté d'une seule griffe à chaque patte avant fut nommé **Mononychus**, ce qui signifie « à une griffe ». Or, on s'est aperçu qu'un scarabée portait déjà ce nom. On a donc légèrement modifié le nom du théropode, qui s'appelle désormais **Mononykus**.

INCROYABLE !

Il arrive que les os de différents dinosaures se mélangent. C'est ce qui est arrivé au Brontosaure, né de l'association d'un squelette d'Apatosaure et de la tête d'un autre dinosaure. Au début des années 1990, des spécialistes ont rendu la tête à son propriétaire, et le Brontosaure n'existe plus.

ZAPPING

• Quels sont les grands dinosaures prédateurs ? Réponse page 40.
• L'homme qui a découvert l'Iguanodon ne disposait que d'une poignée de dents et de quelques os. Comment imaginait-il son dinosaure ? → page 51.
• Les oiseaux sont-ils de proches parents des dinosaures ? → pages 60-61.

LA PEAU

Si l'on n'a jamais retrouvé de peau de Gigantosaure fossile, il existe quelques empreintes d'épiderme laissées par d'autres dinosaures. En examinant ces fossiles, ainsi que la peau de reptiles vivants comme les crocodiles et les lézards, les paléontologues ont recréé celle du Gigantosaure. Pour la couleur, ils ont procédé par tâtonnements, à partir d'animaux actuels vivant dans le même type d'environnement.

LES ORGANES

Les organes internes ne se fossilisent que très rarement, car ils sont trop mous pour se conserver. Pour déterminer l'emplacement et les proportions du cœur, des poumons, des intestins et des autres organes du Gigantosaure, les scientifiques ont dû s'inspirer de l'organisme des cousins encore vivants des dinosaures – les crocodiles et les oiseaux.

LES MUSCLES

Voici des millions d'années, les muscles du Gigantosaure ont laissé des marques à leur point d'insertion sur les os. En déchiffrant ces stigmates, les scientifiques ont évalué la taille et la position des muscles. Pour obtenir la morphologie du Gigantosaure, ils ont superposé plusieurs couches musculaires.

Gigantosaure

DE TOUTES LES COULEURS

Nous ne savons pas de quelle couleur étaient les dinosaures, ce qui n'empêche pas les illustrateurs d'avoir des idées. Peut-être la collerette des céraptosiens présentait-elle un cercle destiné à la faire paraître plus grande et à impressionner les ennemis. À moins qu'elle n'ait été décorée de couleurs vives pour attirer les partenaires sexuels. Et si la collerette était simplement unie et terne, pour mieux camoufler l'animal ?

COMME UN REPTILE

L'Iguanodon fut ensuite représenté comme un reptile géant plus que comme un dragon. On l'imaginait très lent et si lourd qu'il était obligé de prendre appui sur sa queue.

COMME UN IGUANODON

Aujourd'hui, les scientifiques s'accordent pour affirmer que ce dinosaure devait être très actif. Il marchait le plus souvent à quatre pattes, la queue dressée.

L'EXTINCTION

Après avoir régné pendant 160 millions d'années, les dinosaures et beaucoup d'autres animaux se sont mystérieusement éteints voici 65 millions d'années. Dans les océans, des poissons ont survécu, mais beaucoup de reptiles ont été exterminés. Dans les airs, les ptérosaures n'ont pas résisté, alors que les oiseaux et les insectes ont tenu bon. Sur terre, des reptiles (lézards, serpents, crocodiles, tortues) ont perduré, comme les amphibiens et les mammifères. Enfin, près de la moitié des plantes ont disparu.

Le cataclysme qui a provoqué cette extinction a dû être très violent. Les scientifiques ont élaboré plusieurs théories – brusque revirement climatique, désastre volcanique et, surtout, collision d'une immense météorite avec la Terre. Le choc aurait déclenché une catastrophe écologique et décimé les dinosaures, ainsi que d'autres animaux et végétaux.

UN SURVIVANT

Les mammifères, comme ce Purgatorius, ont survécu à l'extinction massive des espèces à la fin du Crétacé. C'est peut-être leur petite taille qui les a sauvés, en leur permettant de s'enfouir pour échapper aux effets les plus dévastateurs de la catastrophe planétaire. Ils se sont ensuite différenciés en milliers de nouvelles espèces qui, depuis, dominent la terre à la place des dinosaures. Oiseaux, insectes, poissons, crocodiles, amphibiens, tortues marines et terrestres, serpents et lézards ont eux aussi résisté.

GROS PLAN

CHOC MÉTÉORITIQUE

Une énorme roche plus grande que le mont Everest fuse dans l'espace à 50 000 km/h. À la fin du Crétacé, elle heurte la Terre de plein fouet. Elle creuse un cratère, comme celui qui est illustré ci-dessous, mais immense. L'atmosphère s'embrase. La moitié de la planète est la proie des flammes. L'air s'emplit d'une épaisse fumée chargée de poussière. Les pluies acides dissolvent tout ce qu'elles touchent. Privées de soleil, les plantes cessent de croître. Privées de nourriture, de nombreuses espèces périssent de faim. Selon les paléontologues, cette théorie reste la plus plausible pour expliquer l'extinction de nombreuses espèces à la fin du Crétacé.

UNE MÉTÉORITE S'ÉCRASE

Sous l'impact d'une énorme météorite s'écrasant sur la Terre, le ciel s'embrase. À des milliers de kilomètres à la ronde, les flammes ravagent tout sur leur passage, y compris ce Tricératops, l'un des dinosaures vivant encore à la fin du Crétacé. Le Tyrannosaure, l'Edmontosaure et le Pachycéphalosaure, eux aussi, existaient encore au jour de la catastrophe.

HISTOIRE DE MOTS

Le mot **décimer** (faire périr, exterminer) vient du latin *decimus*, qui signifie « dixième ». La décimation était une pratique romaine qui consistait à tuer un soldat sur dix à titre d'exemple pour punir une armée qui ne s'était pas montrée à la hauteur.

INCROYABLE !

Le système solaire compte des milliers d'astéroïdes. Heureusement, la plupart se trouvent sur une orbite qui les maintient éloignés de la trajectoire de la Terre. Certains, toutefois, s'en approchent. Dans un lointain avenir, il n'est pas exclu qu'un astéroïde entre de nouveau en collision avec la Terre.

ZAPPING

• À quoi ressemblait le monde juste avant l'extinction de nombreuses espèces ? Réponse pages 14-15.
• Comment les dinosaures régulaient-ils leur température ? → pages 18-19.
• Quels reptiles marins vivaient à l'époque des dinosaures ?
→ pages 24-25.

DRÔLES DE THÉORIES

Les hypothèses les plus saugrenues ont été avancées sur la disparition des dinosaures : cer derniers auraient été kidnappés par des extraterrestres, ils seraient morts étouffés sous leurs excréments, ils se seraient suicidés collectivement ou encore ils étaient tout simplement trop bêtes pour survivre. Nous savons que la vérité est ailleurs...

Tortue

ENCORE DES THÉORIES

RÉCHAUFFEMENT DU CLIMAT

Le climat de la planète s'est peut être brusquement réchauffé. Les conditions de vie étant moins clémentes, la nourriture s'est raréfiée. En mal de fraîcheur, les grands animaux, dont les dinosaures, sont morts de chaud.

REFROIDISSEMENT DU CLIMAT

Le climat de la planète s'est peut être refroidi. Les dinosaures ne parvenaient plus à se réchauffer et ne mangeaient plus à leur faim puisque de nombreuses plantes avaient disparu. Ils sont ainsi morts de froid et de faim.

ÉRUPTIONS VOLCANIQUES

Une série de violentes éruptions volcaniques a pu empoisonner l'atmosphère et obscurcir le ciel. Les rayons du soleil ne parvenant plus jusqu'au sol, les plantes sont mortes. Les herbivores affamés ont péri, comme les carnivores.

LES DESCENDANTS

Les dinosaures n'existent plus, mais certains de leurs parents – oiseaux et crocodiles – vivent encore. Selon les scientifiques, l'Archéoptéryx a été le premier oiseau. Il descendait d'un groupe de petits dinosaures carnivores dont certains, comme le Caudiptéryx et le Sinosauroptéryx, portaient des plumes sans voler pour autant. Les fossiles de ces carnivores à plumes montrent le lien qui existe entre les dinosaures et les oiseaux. Les oiseaux actuels ne ressemblent guère aux dinosaures, mais ils ont gardé des caractéristiques de leurs ancêtres, notamment les pattes : leurs trois doigts pointés vers l'avant et le quatrième orienté vers l'arrière sont proches de ceux des dinosaures carnivores.

Les crocodiles ont des ancêtres archosaures communs avec les dinosaures. Comme ils ont peu changé depuis 65 millions d'années, ils nous livrent de précieuses informations sur leurs parents disparus.

LOINTAINS COUSINS
Avec son large sourire, sa mâchoire ondulée et ses dents crochues, le Baryonyx, un dinosaure carnivore, ressemblait à un crocodile. Il est vrai que ce dernier est un cousin éloigné du Baryonyx. Si leurs mâchoires sont semblables, c'est probablement qu'elles avaient la même fonction : capturer les poissons.

GROS PLAN

LE PREMIER OISEAU

En 1861, dans une carrière de calcaire du sud de l'Allemagne, les mineurs ont découvert une magnifique plume fossilisée. Leur trouvaille a fait sensation. En effet, le fossile avait 145 millions d'années, alors que les scientifiques croyaient que les oiseaux étaient plus récents. Le propriétaire de cette unique plume a été baptisé Archéoptéryx. Les mineurs ont ensuite trouvé un squelette presque complet d'Archéoptéryx. Si son squelette était proche de celui d'un petit dinosaure carnivore, l'Archéoptéryx était couvert de plumes et possédait des ailes. Le plus ancien oiseau connu est sans doute l'espèce qui relie les dinosaures aux oiseaux.

FOSSILES À PLUMES
Le Caudiptéryx était un dinosaure à plumes. Son fossile a été découvert récemment en Chine. Les longues plumes de ses membres antérieurs et de sa queue ne lui servaient pas à voler. Le Caudiptéryx devait les utiliser pour parader ou peut-être pour piéger les insectes.

HISTOIRE DE MOTS

Pteryx signifie « aile » ou « plume », et *cauda*, « queue ». **Caudiptéryx** a donc le sens de « plume de la queue ». L'**Archéoptéryx** a été baptisé « aile ancienne », car *archéo* signifie « ancien ». Le **Sinosauroptéryx** est un « lézard chinois ailé », car *sino* signifie « chinois » (ce dinosaure a été retrouvé en Chine).

INCROYABLE !

Vers 1860, le paléontologue Thomas Huxley fut le premier à faire le lien entre les dinosaures et les oiseaux. Un soir, alors qu'il mangeait une perdrix, il observa la cheville de l'oiseau qu'il avait dans son assiette et s'aperçut que l'os était identique à celui du dinosaure. Il en conclut que ces animaux étaient apparentés.

ZAPPING

• Quels furent les premiers animaux volants ? Réponse page 11.
• Pourquoi les oiseaux descendent-ils des saurischiens et non pas des ornithischiens ? → page 17.
• Quels animaux peuplaient les airs avant les oiseaux ? → pages 24-25.
• Quels dinosaures ressemblaient à des autruches ? → pages 42-43.

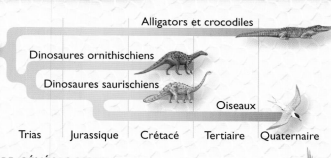

ARBRE GÉNÉALOGIQUE

Les archosaures sont les ancêtres à la fois des crocodiliens (crocodiles et alligators) et des dinosaures. Ces derniers ont évolué en deux grands groupes : les ornithischiens et les saurischiens. Les oiseaux descendent des saurischiens.

DU DINOSAURE À L'OISEAU

Les petits dinosaures carnivores, comme le Compsognathus, se déplaçaient sur leurs pattes arrière, leurs membres antérieurs restant libres pour capturer les proies. Le premier oiseau, l'Archéoptéryx, a transformé ce mouvement de préhension en un battement d'ailes. Les oiseaux actuels n'ont plus de griffes au bout des ailes ; ils ont également perdu la queue osseuse et les dents de leur ancêtre l'Archéoptéryx.

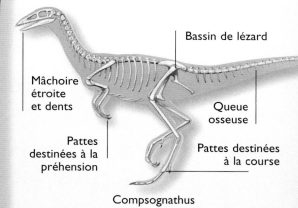

Bassin de lézard

Mâchoire étroite et dents

Queue osseuse

Pattes destinées à la préhension

Pattes destinées à la course

Compsognathus

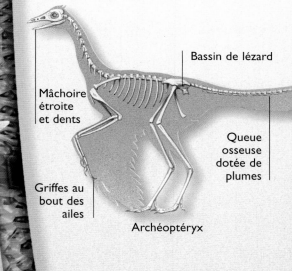

Bassin de lézard

Mâchoire étroite et dents

Queue osseuse dotée de plumes

Griffes au bout des ailes

Archéoptéryx

COURSE, BATTEMENT D'AILES, BOND, VOL

L'Archéoptéryx pourchasse un insecte, en battant des ailes pour se donner de l'élan. L'Archéoptéryx aurait été le premier oiseau. Si certains dinosaures avaient des plumes, c'était pour préserver la température de leur corps. Par la suite, lorsque l'Archéoptéryx a évolué, ses plumes se sont allongées et il s'est envolé pour mieux poursuivre ses proies.

Serpentaire

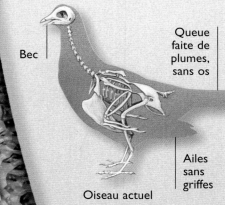

Queue faite de plumes, sans os

Bec

Ailes sans griffes

Oiseau actuel

Fossile de plante   Ichthyosaure   Empreinte d'Iguanodontidé

GLOSSAIRE

Ankylosauridés Groupe de dinosaures herbivores à cuirasse qui vivaient en Amérique du Nord, en Asie, en Europe et en Australie à la fin du Crétacé.

Archosaures Important groupe de reptiles, dont les crocodiles et les alligators sont les représentants actuels. Les dinosaures et les ptérosaures, qui ont disparu, appartiennent aussi à ce groupe.

Badlands Régions désertes et arides où les vents et les cours d'eau, en érodant plusieurs couches de roche, ont révélé les fossiles.

Bipède Qui se déplace sur deux pattes.

Camouflage Technique consistant à se fondre ou à se cacher dans l'environnement. Certains dinosaures devaient avoir la peau de la même couleur que leur milieu, de façon à se camoufler aux yeux de leurs proies ou des prédateurs.

Carnivore Qui se nourrit de viande.

Carnosaures Groupe de grands théropodes carnivores, comme l'Allosaure et le Gigantosaure.

Cératopsiens Groupe d'herbivores quadrupèdes, tel le Tricératops. Ils possédaient une grosse tête pourvue de cornes et d'une collerette osseuse. Apparus à la fin du Crétacé, ils se sont répandus en hordes immenses aux quatre coins de l'Amérique du Nord et de l'Asie, où ils broutaient et migraient à travers les vastes plaines.

Charognard Carnivore se nourrissant de cadavres d'autres animaux. Il attend que le prédateur soit repu pour se servir des restes, ou lui arrache la proie des griffes.

Cœlurosauridés Groupe de dinosaures carnivores dont la taille s'échelonnait de 3 m pour le Coelophysis à 12 m pour le Tyrannosaure. C'est au Crétacé qu'ils

étaient le plus nombreux. Les oiseaux descendent des cœlurosaures.

Coprolithe Excrément fossilisé.

Crétacé Troisième et dernière période géologique de l'ère secondaire, entre 144 et 65 millions d'années avant notre ère. De nombreuses espèces de dinosaures ont évolué au cours du Crétacé, et toutes se sont éteintes à la fin de cette période.

Érosion Modification du relief terrestre sous l'action des cours d'eau, de la pluie, des vagues, des glaciers et des vents.

Espèce Groupe d'animaux ou de plantes présentant des caractéristiques communes. Un groupe d'espèces apparentées forme un genre. *Tyrannosaurus rex* était une espèce du genre *Tyrannosaurus*.

Évolution Transformation des plantes et des animaux au cours de millions d'années.

Exhumer Action de creuser dans le sol pour découvrir et dégager un objet. Les fossiles doivent être exhumés avec soin.

Extinction Disparition d'une espèce. Les dinosaures se sont éteints à la fin du Crétacé, il y a 65 millions d'années.

Fossile Tout témoignage de vie – les restes d'une plante ou d'un animal transformés en pierre, par exemple, ou leur empreinte dans la roche.

Gastrolithe « Pierre d'estomac ». Les sauropodes avalaient des pierres pour faciliter le travail de digestion.

Hadrosaures Groupe de dinosaures herbivores à bec de canard, tels le Parasaurolophus et l'Edmontosaure. Ils possédaient de larges becs munis de dents broyeuses. Beaucoup portaient d'étranges crêtes osseuses au sommet de la tête. Les

premiers hadrosaures ont évolué en Asie au début du Crétacé. Ils sont ensuite devenus les ornithopodes les plus répandus et les plus variés de cette période.

Herbivore Animal se nourrissant exclusivement de plantes.

Ichtyosaures Groupe de reptiles marins qui vivaient à la même époque que les dinosaures. Ils avaient un corps de dauphin et mettaient leurs petits au monde directement dans l'eau.

Iguanodontidés Grands dinosaures herbivores en général quadrupèdes, tel l'Iguanodon. Les premiers sont apparus au Jurassique, puis ils se sont largement répandus au début du Crétacé.

Jurassique Période géologique intermédiaire du Secondaire, entre 208 et 144 millions d'années avant notre ère. Les conditions qui régnaient alors sur la Terre étaient idéales pour l'épanouissement de nouvelles espèces de dinosaures, notamment les énormes sauropodes au long cou.

Mammifères Groupe de vertébrés au corps couvert de poils ou de fourrure, qui allaitent leurs petits. L'homme est un mammifère, de même que le chien, le chat, la chauve-souris ou le dauphin.

Mésozoïque Voir Secondaire.

Météorite Bloc de roche ou de métal provenant d'un astéroïde et qui s'écrase sur la Terre.

Migration Déplacement d'un groupe d'animaux d'une région vers une autre en été ou en hiver, soit pour se reproduire, soit pour se nourrir. Hadrosaures et cératopsiens migraient en hordes immenses à travers l'Amérique du Nord.

Momifié Desséché par la chaleur, par le froid ou par le vent. Certains dinosaures ont

Edmontosaure (hadrosaure)   Dryosaure (petit ornithopode)

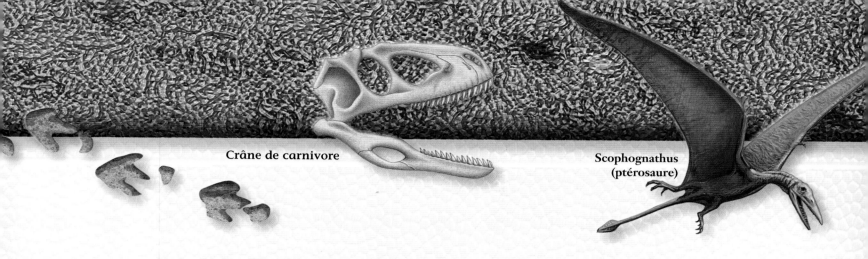

Crâne de carnivore

Scophognathus
(ptérosaure)

été préservés de cette manière, après avoir été enseveli à la suite d'une tempête de sable ou d'une éruption volcanique. La peau et les organes peuvent également se fossiliser de cette manière.

Mosasaures Lézards marins qui peuplaient les eaux côtières à la fin du Crétacé. Leur corps épais et fuselé était doté de quatre sortes de nageoires.

Ornithischiens Groupe de dinosaures dont le bassin était semblable à celui d'un oiseau. L'os pubien était orienté vers l'arrière, parallèlement à l'ischion. Tous les ornithischiens étaient herbivores.

Ornithopodes Groupe d'ornithischiens herbivores à pattes d'oiseau. Il compte certaines familles de dinosaures parmi les plus anciennes et les plus répandues, comme les iguanodontidés et les hadrosaures.

Ovipare Animal qui se reproduit en pondant des œufs, lesquels éclosent au bout d'un certain temps.

Pachycéphalosauridés Groupe de dinosaures herbivores, tels le Pachycéphalosaure et le Pronocéphale, dont l'os crânien était épaissi au sommet et formait une bosse. La plupart vivaient en Asie et en Amérique du Nord à la fin du Crétacé.

Paléontologue Scientifique qui étudie les fossiles de plantes et d'animaux pour tenter de déterminer les formes de vie passées.

Pistes Série d'empreintes laissées dans un sol meuble par un animal en marchant ou en courant. Certaines pistes de dinosaures ont été fossilisées.

Plésiosaures Grands reptiles marins qui se sont épanouis pendant le Jurassique et le Crétacé. Leur long cou émergeait à la surface des eaux. Ils se déplaçaient dans l'eau grâce à leurs quatre nageoires en pagaies.

Pliosaures Reptiles marins de l'ère secondaire, dotés d'une grosse tête armée de dents puissantes, d'un cou court et d'un vigoureux corps fuselé.

Prédateur Animal qui chasse d'autres animaux ou qui s'attaque à eux.

Prosauropodes L'un des premiers groupes de dinosaures. Ces saurischiens herbivores, tel le Platéosaure, vivaient à la fin du Trias et au début du Jurassique.

Ptérosaures Reptiles volants apparus vers la fin du Trias, comme le Scaphognathus.

Quadrupède Qui se déplace sur quatre pattes.

Reptiles Groupe de vertébrés ovipares à peau écailleuse. Les lézards et les serpents sont des reptiles.

Sang chaud Les animaux comme les mammifères et les oiseaux sont dits « à sang chaud » ou à température fixe. Leur température est stable, car leur organisme génère la chaleur de l'intérieur. Ces animaux peuvent être actifs en permanence.

Sang froid Les animaux comme les serpents et les lézards sont dits « à sang froid » ou à température variable. Ils puisent la chaleur de leur organisme à l'extérieur, en s'exposant au soleil. Par temps froid, ils sont moins actifs.

Saurischiens Groupe de dinosaures dont le bassin ressemblait à celui du lézard. L'os pubien était pointé vers l'avant. Tous les carnivores étaient des saurischiens, de même que les sauropodes et les prosauropodes herbivores.

Sauropodes Dinosaures quadrupèdes dotés d'un cou immense et d'une très longue queue, tels que le Diplodocus et le Brachiosaure. Ils constituaient l'un des deux groupes d'herbivores saurischiens, alors que

la plupart des herbivores étaient des ornithischiens. Ils ont évolué à la fin du Trias et engendré les plus grands animaux de l'histoire de la Terre.

Secondaire L'âge des dinosaures. Également appelé Mésozoïque, il a commencé voici 248 millions d'années, avant l'apparition des dinosaures, pour se terminer 65 millions d'années avant notre ère, par l'extinction de nombreuses espèces végétales et animales. Le Secondaire se divise en trois périodes : Trias, Jurassique et Crétacé.

Stégosauridés Dinosaures quadrupèdes et herbivores, tels le Stégosaure et le Kentrosaure. Ils se caractérisaient par des plaques osseuses sur le dos et par une robuste queue, hérissée à son extrémité de longues piques acérées. Ils se sont répandus en Amérique du Nord, en Europe, en Asie et en Afrique à partir de la fin du Jurassique.

Synapsides Groupe d'animaux apparus en même temps que les reptiles. Ils vivaient avant les dinosaures et sont les ancêtres des mammifères.

Thérizinosaures Groupe de dinosaures, comme le Ségnosaure et l'Erlikosaure, qui appartenaient au groupe des théropodes tout en présentant certaines caractéristiques des prosauropodes. Les thérizinosaures ont vécu au Crétacé.

Théropodes Tous les dinosaures carnivores. Ils appartenaient au groupe des saurischiens, et se déplaçaient sur leurs pattes arrière.

Trias Première période géologique du Secondaire, entre 248 et 208 millions d'années avant notre ère. Les dinosaures sont apparus vers le milieu de cette période, voici environ 228 millions d'années.

Vertèbres Os de l'épine dorsale alignés de la base du crâne à la queue, qui protègent la colonne vertébrale.

Squelette de sauropode

Scutellosaure (ornithischien)

INDEX

Les éditeurs remercient les consultants suivants pour leur aide dans la réalisation de ce livre : Barbara Bakowski, James Clark, Dina Rubin, and Jennifer Themel.
Nous remercions également les enfants qui ont été photographiés dans ces pages : Michelle Burk, Elliot Burton, Lisa Chan, Anton Crowden et Henry (chien), Gemma Smith, Gerard Smith, Andrew Tout, Lucy Vaux.

CRÉDITS PHOTOS (h = haut, b = bas, g = gauche, d = droite, c = centre, e = extrême) (NHM = Natural History Museum, TPL = The Photo Library, Sydney, SPL = Science Photo Library, UOC = University of Chicago.)
Ad-Libitum 5 b, 9 bd, 14 g, 16 g, 19 hd, 22 d, 27 g, 28 g, 33 hd, 33 b, 37 cd, 39 b, 44 b, 52 h, 53 hd (M. Kaniewski). **American Museum of Natural History** 15 c **Ardea London Ltd.** 13 c (P. Morris), 31 hg, 8l (F. Gohier). **Auscape** 56 g (D. Parer & E. Parer-Cook), 10 g, 37 hd, 38 hg, 38 hd, 40 d, 46 c, 53 bd, 60 g (F. Gohier), 48 g (S. Wilby & C. Ciantar). **Australian Museum** 47 hg (Nature Focus). **Brigham Young University** 39 c (M.A. Philbrick). **Dinosaur National Monument, Utah**, 52 bc. **Everett Collection** 12 c, 24 g. **James Farlow** 43 d. **David Gillette** 30 bg. **The Granger Collection** 51 hd. **Jeff Foott Prod.BC** 32 bg. **Museum of the Rockies** 22 bg (B. Selyem). **National Geographic Society** 55 b (J. Amos). **NHM** 25 hg, 28 c, 28 d, 31 hd, 32 hd, 34 c, 42 bg, 43 bd, 48 d, 48 h, 51 c, 51 d, 51 bd, 53 bg, 55 h, 56 bg. **Palaeontologisches Museum Universtat zu Berlin** 36 bg. **Peabody Museum of Natural History** 18 g, 52 cg. **TPL** 8 hg (A. Evrard), 50 h (Hulton-Deutsch), 9 d (SPL/P. Plailly), 34 h (K. Schaffer). **Dr. Robert Reid, UK** 18 bd, 19 bg, 19 bd. **UOC** 11 c (P. Sereno). US Geological Survey, 58 g. **Wave Productions** 45 hd, 56 d (O. Strewe). **Paul Willis** 21 hd.

CRÉDITS D'ILLUSTRATIONS
Anne Bowman 44 h, 46 hg, 46 hd, 60 hg. **Jimmy Chan** 40 g, 59 hg. **Simone End** 6 ebd, 9 hc, 13 hd, 13 c, 13 d, 16 hd, 24 bd, 35 c, 35 d, 42 hg, 42 hc. **John Francis/Bernard Thornton Artists UK** 20 bd. **Murray Frederick** 44 d, 48/49 c, 48 h, 48 bg, 48 bd, 49 hg, 49 d, 49 bg, 62 hd. **Lee Gibbons/Wildlife**

Art Ltd 45 c, 58/59 c, 58 d, 59 d. **Ray Grinaway** 13 c, 13 bd, 47 hd. **Jim Harter (ed.) Animals** (Dover, 1979) 56 bd, 57 bg. **Gino Hasler** 5 d, 26 cd, 27 d, 30 bg, 30 bd, 31 bg, 31 bc, 31 bd, 40 hg, 40 hc, 40 hd, 40 bg, 40 bd, 41hd, 41 cd, 41 bd, 63 hc. **Tim Hayward/Bernard Thornton Artists UK** 58 bg. **David Kirshner** 7 g, 7 c, 16/17 c, 16 ehd, 16 hg, 16 d, 16 b, 17 h, 17 d, 17 bg, 17 bd, 18/19 c, 18 hd, 19 bd, 26 d, 27 g, 32/33 c, 32 hg, 32 hc, 32 hd, 32 b, 33 d, 33 bd, 38/39 c, 38 d, 45 g, 45 bd, 56/57 c, 56 hg, 56 hd, 57 d, 57 bd, 58 hd, 58 bd, 59 hc, 60 ed, 63 bg. **Frank Knight** 4 hd, 6 hd, 9 hg, 10 bg, 10 bd, 11 b, 11 bd, 20 d, 24 hg, 25 bc, 25 bg, 40 c, 46/47 b. **David McAllister** 52/53 c, 52 bd. **James McKinnon** 4 cd, 6 d, 6 bd, 10/11 c, 10 hg, 10 hd, 11 cd, 11 hd, 11 bg, 12/13 c, 12 hg, 12 hc, 12 hd, 27 hg, 27 hd, 36 hg, 36 hc, 36 hd, 36 bg, 36 bd, 37 c, 37 bg, 37 bc, 37 bd, 37 eb, 44 c, 50 hg, 50 hd, 50 g, 50 bg, 50 bd, 51 hg, 51 c, 51 b, 63 hd, 63 bd. **Stuart McVicar** (digital manipulation) 6 cd, 10 d, 12 d, 14 d **Colin Newman/Bernard Thornton Artists UK** 9 hd, 23 h, 58 bd. **Luis Rey/Wildlife Art Ltd** 7 c, 14/15 c, 14 hg, 14 bg, 14 bd, 15 cd, 15 bd, 20/21 c, 20 hg, 20 hc, 20 hd, 20 b, 21 d, 21 hg, 21 bd, 27 c, 28/29 c, 28 bg, 28hd, 28 bg, 28 cd, 29 d, 29 bc, 41 c, 62 bg, 62 bd. **Peter Schouten** 4 d, 8 c, 8/9 c, 8/9 b, 12 bg, 12 bd, 14 hd, 15 b, 18 hg, 26 hd, 27 bd, 29 hd, 29 bd, 30/31 c, 30 hg, 30 hc, 30 hd, 30 d, 42 c, 62 hg. **Peter Scott/Wildlife Art Ltd** 7 bd, 22 hg, 22 hc, 22 hd, 22 bd, 23 c, 23 bg, 23 bd, 26 bd, 27 bg, 34/35 c, 34 hg, 34 hc, 34 hd, 34 bg, 35 g, 35 cd, 35 bg, 35 bc, 35 bd, 35 bd, 43 hd, 43 bg, 45 bg, 60 hd, 60 c, 60 d, 60 bd, 60 bl, 61 h, 61 d, 61 bg. **Marco Sparaciari** 4 bg, 45 hg, 54 hg, 54 hc, 54 hd, 54 c, 54 bd, 55 d, 55 bg, 55 bd. **Kevin Stead** 7 g, 7 bg, 13 cd, 24/25 c, 24 hc, 24 hd, 24 c, 24 d, 24 bg, 25 bg, 25 d, 25 bd, 46/47 c, 58 hg, 62 hc.

CRÉDITS DE COUVERTURE
Ad-Libitum (M. Kaniewski), **Gino Hasler, David Kirshner, James McKinnon, Luis Rey/Wildlife Art Ltd, Peter Schouten, Peter Scott/Wildlife Art Ltd, Kevin Stead.**

4

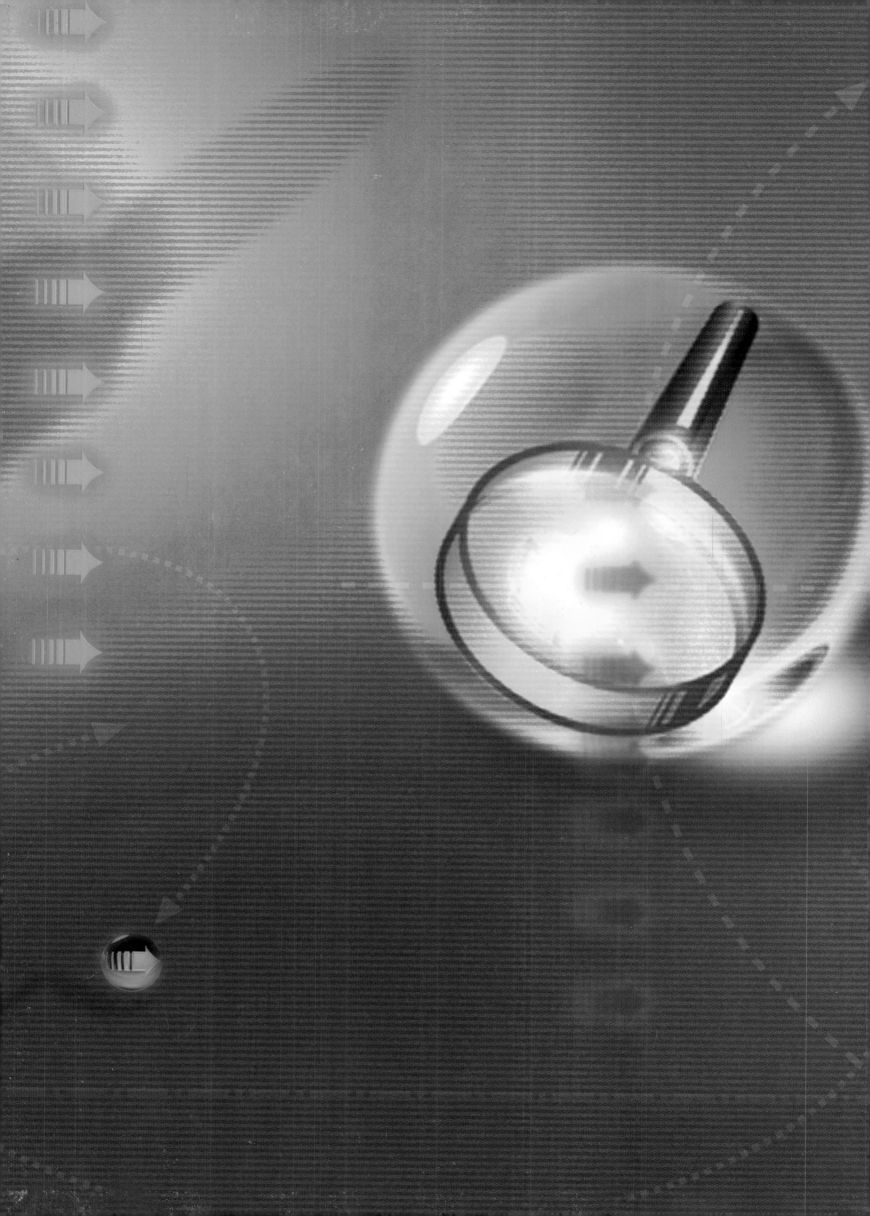